中华人民共和国国家标准

高炉炼铁工程设计规范

Code for design of blast furnace ironmaking plant

GB 50427-2015

主编部门：中 国 冶 金 建 设 协 会
批准部门：中华人民共和国住房和城乡建设部
施行日期：2 0 1 6 年 3 月 1 日

中国计划出版社

2015 北 京

中华人民共和国国家标准

高炉炼铁工程设计规范

GB 50427-2015

☆

中国计划出版社出版

网址：www.jhpress.com

地址：北京市西城区木樨地北里甲 11 号国宏大厦 C 座 3 层

邮政编码：100038　电话：（010）63906433（发行部）

新华书店北京发行所发行

北京市科星印刷有限责任公司印刷

850mm×1168mm　1/32　5.5 印张　137 千字

2016 年 1 月第 1 版　2016 年 1 月第 1 次印刷

☆

统一书号：1580242·813

定价：33.00 元

中华人民共和国住房和城乡建设部公告

第 859 号

住房城乡建设部关于发布国家标准《高炉炼铁工程设计规范》的公告

现批准《高炉炼铁工程设计规范》为国家标准，编号为 GB 50427—2015，自 2016 年 3 月 1 日起实施。其中，第 6.0.11、12.0.1、12.0.11、14.2.1、16.0.9、21.1.2 条为强制性条文，必须严格执行。原《高炉炼铁工程设计规范》GB 50427—2008 同时废止。

本规范由我部标准定额研究所组织中国计划出版社出版发行。

中华人民共和国住房和城乡建设部

2015 年 6 月 26 日

前 言

本规范是根据住房城乡建设部《关于印发〈2013 年工程建设标准规范制订修订计划〉的通知》(建标〔2013〕6 号)的要求,由中冶赛迪集团有限公司会同有关单位在原国家标准《高炉炼铁工艺设计规范》GB 50427—2008 的基础上修订而成的。

在编制过程中,编制组进行了调查研究,总结了多年高炉炼铁工程设计的经验;广泛征求了有关生产、设计、院校等单位的意见;贯彻了国家现行的有关法律、法规、政策及标准,最后经审查定稿。

本规范共分 21 章,主要技术内容包括:总则,术语,基本规定,原料燃料和技术指标,总图运输,矿槽焦槽及上料系统,炉顶,炉体,风口平台及出铁场,热风炉,渣铁处理,煤粉制备及喷吹,高炉鼓风,高炉煤气净化及煤气余压利用,电气及自动化,给水排水,采暖通风,节能及介质管线,建筑和结构,检化验,安全与环保。

本规范修订的主要内容是:

1. 增加了总图运输、高炉鼓风、采暖通风、建筑及结构、检化验等章节;

2. 对原燃料指标、炉顶、炉体、出铁场、热风炉、渣铁处理、煤粉制备及喷吹、煤气净化等章节的相应条款进行了修改;

3. 对电气自动化、给排水、节能环保等章节内容进行了补充和完善。

本规范以黑体字标志的条文为强制性条文,必须严格执行。

本规范由住房城乡建设部负责管理和对强制条文的解释,中国冶金建设协会负责日常管理,由中冶赛迪集团有限公司负责具体技术内容的解释。执行过程中如有意见或建议,请寄送至中冶赛迪集团有限公司(地址:重庆市渝中区双钢路 1 号,邮政编码:

400013)，以供今后修订时参考。

本规范主编单位、参编单位、主要起草人和主要审查人：

主 编 单 位：中冶赛迪集团有限公司

参 编 单 位：中冶赛迪工程技术股份有限公司
中冶京诚工程技术有限公司
中冶南方工程技术有限公司
中冶华天工程技术有限公司
中冶东方工程技术有限公司
中冶赛迪电气技术有限公司
北京首钢国际工程技术有限公司
鞍钢集团工程技术有限公司
邯郸钢铁集团设计院有限公司
攀枝花攀钢集团设计研究院有限公司
唐钢国际工程技术有限公司
宝山钢铁股份有限公司
武汉钢铁集团公司
本钢板材股份有限公司
安阳钢铁股份有限公司
太原钢铁集团公司

主要起草人：邹忠平 全 强 汤楚雄 高成云 夏 陟
陈永明 朱锦明 谷少党 卫继刚 孟昭伟
李向伟 王玉稳 姚 轼 吴秋廷 张文来
焦英占 石勤学 徐 坚 潘 宏 吕宇来
姚 波 吕丽沙 弋晓锋 王 刚 苏 蔚

主要审查人：张建良 郭启蛟 项钟庸 王筱留 欧阳标
沈峰满 王维兴 朱仁良 郭宪臻 梁 科
陆隆文 何小平 王宝海 王子金 谢国海

目　　次

Contents

1　总　　则

1.0.1　为提高高炉炼铁工程设计水平和质量，实现技术先进、经济合理、节约资源、安全实用、保护环境，制定本规范。

1.0.2　本规范适用于新建和改建高炉炼铁工程设计。

1.0.3　新建高炉有效容积应达到 $1200m^3$ 及以上。沿海深水港地区建设钢铁项目，高炉有效容积应大于 $3000m^3$。

1.0.4　高炉炼铁工程设计除应符合本规范外，尚应符合国家现行有关标准的规定。

2 术　语

2.0.1 高炉有效容积(m^3)　effective volume of blast furnace

高炉有效高度内包容的容积。

2.0.2 高炉有效高度(m)　effective height of blast furnace

高炉零料线至出铁口中心线之间的垂直距离。

2.0.3 炉缸直径(m)　hearth diameter

风口标高处组合砖内侧形成的炉缸内直径。

2.0.4 高炉有效容积利用系数($t/m^3 \cdot d$)　utilization coefficient of blast furnace, productivity coefficient, productivity

高炉日产量与高炉有效容积之比。

2.0.5 炉缸面积利用系数($t/m^2 \cdot d$)　hearth area utilization coefficient of blast furnace

高炉日产量与高炉炉缸断面积之比。

2.0.6 炉腹煤气量(m^3)　bosh gas volume

高炉炉腹产生的煤气量的总和，由鼓风、富氧、喷煤、鼓风湿度等几部分产生的煤气组成。

2.0.7 炉腹煤气量指数(m/min)　bosh gas volume index

炉腹煤气量与炉缸断面积的比值。

2.0.8 作业率　operation rate

高炉实际作业时间占日历时间的百分数。

2.0.9 焦比(kg/t)　coke ratio, coke rate

高炉冶炼每吨合格生铁所消耗的干焦炭量，也称入炉焦比。

2.0.10 煤比(kg/t)　coal ratio, coal rate

高炉冶炼每吨合格生铁所消耗的煤粉量。

2.0.11 小块焦比(kg/t)　coke nut ratio, coke nut rate

高炉冶炼每吨合格生铁所消耗的干小块焦炭量。

2.0.12 燃料比(kg/t) fuel ratio,fuel rate

高炉冶炼每吨合格生铁所消耗的焦炭、煤粉(不考虑对焦炭的置换比)、小块焦等燃料的总和。

2.0.13 炼铁工序单位能耗(kgce/t) energy consumption per ton hot metal

高炉冶炼每吨合格生铁所消耗的各种能源量。包括工序耗用的燃料和动力等能源的总消耗量。炼铁工序单位能耗等于炼铁工序消耗能量减去回收能量的差值再除以合格生铁产量。

2.0.14 富氧率 oxygen enrichment ratio

富氧后鼓风中氧气含量增加的体积百分数。

2.0.15 一罐制 one ladle transportation

炼钢铁水包直接受运高炉铁水至炼钢转炉的工艺。

2.0.16 设备最大能力 equipment max capacity

保证设备安全运行所必须具备的最大能力。

3 基本规定

3.0.1 高炉炼铁工程设计应以精料为基础，采用喷煤、高风温、高压、富氧等炼铁技术，全面贯彻高效、低耗、优质、长寿、环保的炼铁技术方针。

3.0.2 高炉炉容级别按有效容积范围，宜分为 $1000m^3$、$2000m^3$、$3000m^3$、$4000m^3$、$5000m^3$ 级。

3.0.3 高炉炼铁工程设计，应按本规范的要求落实原料、燃料的质量和供应条件。

3.0.4 高炉炉容应大型化，新建高炉车间的最终高炉座数宜为2座～3座。

3.0.5 高炉炼铁工程设计应结合国情、厂情进行多方案技术经济比较后确定方案。

3.0.6 高炉炼铁工程设计，应设置副产物和能源回收利用、节能降耗的环保设施。

3.0.7 高炉炼铁工程设计应符合国家现行标准《工业企业煤气安全规程》GB 6222 及《炼铁安全规程》AQ 2002 的有关规定。

4 原料燃料和技术指标

4.1 原料燃料

4.1.1 入炉原料应以烧结矿和球团矿为主，并采用高碱度烧结矿，搭配酸性球团矿（自熔性球团矿）或部分块矿的炉料结构。

4.1.2 入炉原料含铁品位及熟料率，宜符合表4.1.2的规定。

表4.1.2 入炉原料含铁品位及熟料率

炉容级别(m^3)	1000	2000	3000	4000	5000
平均含铁	≥56%	≥57%	≥58%	≥58%	≥58%
熟料率	≥85%	≥85%	≥85%	≥85%	≥85%

注：平均含铁的要求不包括特殊矿。

4.1.3 烧结矿质量宜符合表4.1.3的规定。

表4.1.3 烧结矿质量

炉容级别(m^3)	1000	2000	3000	4000	5000
铁分波动	≤±0.5%	≤±0.5%	≤±0.5%	≤±0.5%	≤±0.5%
碱度波动	≤±0.08	≤±0.08	≤±0.08	≤±0.08	≤±0.08
铁分和碱度波动的达标率	≥80%	≥85%	≥90%	≥95%	≥98%
含FeO	≤9.0%	≤8.8%	≤8.5%	≤8.0%	≤8.0%
FeO波动	≤±1.0%	≤±1.0%	≤±1.0%	≤±1.0%	≤±1.0%
碱度(CaO/SiO_2)	1.8～2.25	1.8～2.25	1.8～2.25	1.8～2.25	1.8～2.25
转鼓指数+6.3mm	≥71%	≥74%	≥77%	≥78%	≥78%
还原度	≥70%	≥72%	≥73%	≥75%	≥75%

4.1.4 球团矿质量宜符合表4.1.4的规定。

表4.1.4 球团矿质量

炉容级别(m^3)	1000	2000	3000	4000	5000
含铁量	≥63%	≥63%	≥64%	≥64%	≥64%
转鼓指数+6.3mm	≥86%	≥89%	≥92%	≥92%	≥92%
耐磨指数−0.5mm	≤5%	≤5%	≤4%	≤4%	≤4%
常温耐压强度(N/个球)	≥2000	≥2000	≥2200	≥2300	≥2500
低温还原粉化率+3.15mm	≥65%	≥65%	≥65%	≥65%	≥65%
膨胀率	≤15%	≤15%	≤15%	≤15%	≤15%
铁分波动	≤±0.5%	≤±0.5%	≤±0.5%	≤±0.5%	≤±0.5%
还原度	≥70%	≥72%	≥73%	≥75%	≥75%

注:1 不包括特殊矿石。

2 球团矿碱度应根据高炉的炉料结构合理选择,并在设计文件中做明确规定,为保证球团矿的理化性能,宜采用酸性球团矿与高碱度烧结矿搭配的炉料结构。

3 球团矿碱度宜避开0.3~0.8的区间。

4.1.5 入炉块矿质量宜符合表4.1.5的规定。

表4.1.5 入炉块矿质量

炉容级别(m^3)	1000	2000	3000	4000	5000
含铁量	≥62%	≥62%	≥63%	≥63%	≥63%
热爆裂性能	—	—	≤1%	≤1%	≤1%
铁分波动	≤±0.5%	≤±0.5%	≤±0.5%	≤±0.5%	≤±0.5%

4.1.6 入炉原料粒度宜符合表4.1.6的规定。

表4.1.6 原料粒度

烧结矿		块矿		球团矿	
粒度范围(mm)	5~50	粒度范围(mm)	5~30	粒度范围(mm)	6~18
粒度大于50mm	≤8%	粒度大于30mm	≤10%	粒度9mm~18mm	≥85%
粒度小于5mm	≤5%	粒度小于5mm	≤5%	粒度小于6mm	≤5%

注:石灰石、白云石、萤石、锰矿、硅石粒度应与块矿粒度相同。

4.1.7 高炉用顶装焦炭质量宜符合表4.1.7的规定。

表4.1.7 顶装焦炭质量

炉容级别(m^3)	1000	2000	3000	4000	5000
M40	≥78%	≥82%	≥84%	≥85%	≥86%
M10	≤7.5%	≤7.0%	≤6.5%	≤6.0%	≤6.0%
反应后强度 CSR	≥58%	≥60%	≥62%	≥64%	≥65%
反应性指数 CRI	≤28%	≤26%	≤25%	≤25%	≤25%
焦炭灰分	≤13%	≤13%	≤12.5%	≤12%	≤12%
焦炭含硫	≤0.85%	≤0.85%	≤0.7%	≤0.6%	≤0.6%
焦炭粒度范围(mm)	75～25	75～25	75～25	75～25	75～30
粒度大于上限	≤10%	≤10%	≤10%	≤10%	≤10%
粒度小于下限	≤8%	≤8%	≤8%	≤8%	≤8%

注:捣固焦配煤种类差异较大,捣固焦密度差异也较大,热工制度不完善,生产出捣固焦的指标不能完全适应高炉生产的需要,故暂时未列入捣固焦的质量要求。

4.1.8 高炉喷吹用煤应根据资源条件确定。喷吹煤质量宜符合表4.1.8的规定。

表4.1.8 喷吹煤质量

炉容级别(m^3)	1000	2000	3000	4000	5000
灰分 Aad	≤12%	≤11%	≤10%	≤9%	≤9%
含硫 St,ad	≤0.7%	≤0.7%	≤0.7%	≤0.6%	≤0.6%

4.1.9 入炉原料和燃料应控制有害杂质量。其入炉原料和燃料有害杂质量控制值宜符合表4.1.9的规定。

表4.1.9 入炉原料和燃料有害杂质量控制值(kg/t)

K_2O+Na_2O	≤3.0
Zn	≤0.15
Pb	≤0.15
As	≤0.1
S	≤4.0
Cl^-	≤0.6

4.2 高炉生产技术指标

4.2.1 高炉设计年平均利用系数、燃料比和焦比宜符合表4.2.1的规定。

表4.2.1 高炉设计年平均利用系数、燃料比和焦比

炉容级别(m^3)	1000	2000	3000	4000	5000
有效容积利用系数[$t/(m^3 \cdot d)$]	2.2～2.5	2.1～2.4	2.0～2.3	2.0～2.3	2.0～2.25
炉缸面积利用系数[$t/(m^3 \cdot d)$]	55～61	55～64	55～65	56～66	60～68
炉腹煤气量指数(m/min)	56～65	56～65	56～64	55～63	56～63
设计年平均燃料比(kg/t)	≤520	≤515	≤510	≤500	≤500
设计年平均焦比(kg/t)	≤360	≤340	≤330	≤310	≤310

注:1 不包括特殊矿石炼铁的设计指标。
2 燃料比中包括焦炭、煤粉和小块焦,且不考虑折算系数。
3 焦比中应含小块焦。

4.2.2 高炉设计年作业率宜为97%。高炉设计年产量应按下式计算:

高炉设计年产量(t)=高炉有效容积(m^3)×设计年平均利用系数[$t/(m^3 \cdot d)$]×设计年作业率×年日历日数(d)　(4.2.2)

4.2.3 高炉设计最高设备能力应按正常设计年平均利用系数增加0.1$t/(m^3 \cdot d)$～0.2$t/(m^3 \cdot d)$预留。大于或等于2000m^3高炉最高设备能力不宜超过2.5$t/(m^3 \cdot d)$。

4.2.4 炼铁工序能耗计算方法以及常用的能源热值和折标煤系数计算,应符合现行国家标准《钢铁企业节能设计规范》GB 50632

的有关规定。炼铁工序单位能耗应符合表4.2.4的规定。

表4.2.4 炼铁工序单位能耗

炉容级别(m^3)	1000	2000	3000	4000	5000
炼铁工序单位能耗(kgce/t)	≤400	≤395	≤390	≤385	≤385

注:1 不包括特殊矿石炼铁的设计指标。
2 电力折算系数为0.1229kgce/kW·h。

4.3 送风条件

4.3.1 吨铁耗风量应根据高炉操作条件通过物料平衡和热平衡计算确定。当不富氧时,冶炼每吨生铁消耗风量值宜符合表4.3.1的规定。

表4.3.1 冶炼每吨生铁消耗的风量值(不富氧)

燃料比(kg/t)	540	530	520	510	500
消耗风量(m^3/t)	≤1310	≤1270	≤1240	≤1210	≤1180

注:1 耗风量为标准状态。
2 表中风量包括漏风损耗。

4.3.2 高炉风量应根据吨铁耗风量和产量确定,并应根据炉腹煤气指数核定炉缸直径和炉容。应按照最大炉腹煤气量确定最大风量和富氧量。最大风量应根据最大炉腹煤气量中由鼓风形成的炉腹煤气分量推算。炉腹煤气量指数值可按本规范表4.2.1选取。

4.3.3 高炉应采用高压操作,炉顶操作压力值宜符合表4.3.3的规定。

表4.3.3 高炉的炉顶操作压力值

炉容级别(m^3)	1000	2000	3000	4000	5000
炉顶操作压力(kPa)	180～220	200～250	250～280	250～300	250～300

注:压力为表压。

4.3.4 鼓风机出口压力应满足炉顶压力、炉内料柱阻力损失和送风系统阻力损失的要求。鼓风机出口压力、炉内料柱阻力损失及送风系统阻力损失宜符合表4.3.4的规定。

表4.3.4 高炉鼓风机出口压力、炉内料柱阻力损失及送风系统阻力损失值

炉容级别(m^3)	1000	2000	3000	4000	5000
炉内料柱阻损(kPa)	130～160	160～180	170～190	170～200	180～200
送风系统阻损(kPa)	25	25	30	35	35
炉顶压力(kPa)	180～220	200～250	250～280	250～300	250～300
鼓风机出口压力(kPa)	350～420	380～450	450～490	450～530	470～550

注:压力为表压。

5 总图运输

5.0.1 炼铁车间宜靠近原料场、焦化、烧结、球团、炼钢等车间。设施的布置应符合现行国家标准《钢铁企业总图运输设计规范》GB 50603、《钢铁冶金企业设计防火规范》GB 50414 及《建筑设计防火规范》GB 50016 的有关规定。

5.0.2 高炉区域总平面布置，应根据场地情况，按工艺流程和功能，划分成相对整齐的功能区。功能区内建筑物、构筑物的轴线宜与道路平行。

5.0.3 出铁场附近宜留出高炉大修场地，场地周围不宜布置架空管线。

5.0.4 铁水运输方式应根据场地条件、总平面布置、高炉座数、生产组织、运输方式、运输距离、预留发展状况、投资等综合比较后确定。

5.0.5 受场地条件限制，布置出铁场下铁路时，在保证安全的前提下，应允许机车从摆动流嘴下通过，并应符合现行国家标准《工业企业厂内铁路、道路运输安全规程》GB 4387 的有关规定。

5.0.6 铁水运输采用一罐制时，铁水运输铁路线间距及建筑限界应通过计算确定。

5.0.7 煤气管道与经常停放铁水罐、渣罐的铁路线之间的水平净距宜大于 10.0m，有隔热措施时可减少水平净距。

5.0.8 干渣坑下不应敷设管线。干渣坑汽车出入口 10m 内，不应设置电缆沟、埋地管廊的吊装孔和通风孔。

6 矿槽焦槽及上料系统

6.0.1 矿槽、焦槽数量应根据原料品种、贮存时间及清槽、检修等综合因素确定，并应符合容积大、槽数少的要求。焦槽的贮存时间应为8h～10h；高炉烧结矿槽贮存时间宜为10h～14h，烧结矿分级入炉时可采用上限值；其他原料的贮存时间应大于12h。烧结矿槽的最大跌落高度不宜大于14m。每座高炉的烧结矿筛不得少于4台，小粒级烧结矿筛或焦炭筛不宜少于2台。

6.0.2 矿槽和焦槽应进行炉料在库量管理。

6.0.3 烧结矿入炉前应在矿槽下过筛，焦炭入炉前应在焦槽下过筛。

6.0.4 入炉原料、燃料均应设置称量误差补正设施。焦炭应设水分补正设施。槽下宜设置焦炭水分在线监测设施，采用外购焦和落地焦的高炉应设置焦炭水分在线监测设施。

6.0.5 矿槽、焦槽的上下部应采用胶带机运输，并应减少转运、跌落次数和落差。

6.0.6 上料形式应根据地形、总图运输、炉容和出铁场布置确定。高炉的上料形式宜符合表6.0.6的规定。

表6.0.6 高炉的上料形式

炉容级别(m^3)	<2000	≥2000
上料形式	斜桥料车上料或胶带机上料	胶带机上料

6.0.7 上料系统设计能力应满足不同料批装料制度和最高日产量时赶料的要求。新建高炉按年平均利用系数和正常料批计算的上料设备作业率宜为65%～70%。

6.0.8 槽下配料系统在有一组配料设备检修时应满足最大料批配料的要求。

6.0.9 高炉炼铁设计宜采用焦炭直接送高炉焦槽方式，应设置槽下小块焦的筛分站，并应全部回收利用小块焦炭。小块焦炭宜加入矿石料批中混装入炉。

6.0.10 焦炭和矿石集中胶带运输机宜设置金属检除装置。

6.0.11 上料料车、主胶带机下部设置车辆及人行通道时，通道上方必须设置防止物料高空坠落的安全防护设施。

7 炉　　顶

7.0.1 高炉宜采用无料钟炉顶设备。

7.0.2 高炉装料设备容积应根据最大矿批加小块焦容积确定。高炉矿石料批重量宜符合表7.0.2的规定。

表 7.0.2 高炉矿石料批重量

炉容级别(m^3)	1000	2000	3000	4000	5000
正常矿石批重(t)	30～60	50～95	80～125	115～140	135～170
最大矿石批重(t)	35～70	60～100	90～140	126～160	150～190

7.0.3 高炉炉顶装料系统设计能力应与高炉上料设备能力相匹配，并应满足不同料批装料制度和最高日产量时赶料的要求。

7.0.4 高炉炉顶设备应设置检修维护设施。

7.0.5 高炉炉顶应设置均压煤气排压消声器及除尘设施，宜设置炉顶排压煤气回收装置。

7.0.6 炉顶润滑站、液压站设计应符合现行国家标准《钢铁冶金企业设计防火规范》GB 50414的有关规定。

7.0.7 机械探尺重锤边与炉喉炉墙的间距不应小于100mm。

7.0.8 寒冷地区的液压管道、润滑管道应采取伴热或保温的防冻措施。

7.0.9 炉顶卸料点应设置除尘设施。

7.0.10 无料钟气密箱宜采用水冷气封结构，冷却水宜采用净环水，排水宜采用水封直排方式。

7.0.11 正常操作时炉顶放散阀应选择自动模式，在炉顶压力超过设备设计压力时，控制系统应自动开启放散阀泄压，当恢复到正常压力水平时再关闭该放散阀。炉顶煤气放散阀还应设置机械超压开启功能。

7.0.12 炉顶主要设备及炉顶放散阀宜采用液压驱动；当采用液压驱动时应设置炉顶液压站。液压站蓄能器能力应满足事故停电时主要阀门动作的需要，工作时不得将蓄能器从系统中切除。

8 炉 体

8.0.1 高炉一代炉役的设计寿命宜达到15年以上；在高炉一代炉役期间，单位高炉容积的产铁量宜达到12000t。

8.0.2 高炉炼铁设计应按照长寿技术的要求，选用冷却设备结构型式、冷却设备材质、冷却介质、耐火材料、砌体结构及监控设施。

8.0.3 高炉冷却设备设计应符合下列要求。

1 高炉炉底宜采用水冷，炉缸、炉底侧壁应设置冷却设施，宜采用炉壳开孔少、界面少、容易施工、传热可靠的冷却方式。采用冷却壁方式时，冷却壁间及冷却壁与炭砖间的不定型材料的选择和施工方法的选择，应防止生产过程中出现气隙。

2 炉腹宜采用铸铁冷却壁或铜冷却壁，也可采用密集式铜冷却板或铸钢冷却壁。

3 炉腰和炉身中、下部的冷却设备宜采用强化型镶砖铸铁冷却壁、铸钢冷却壁、铜冷却壁或密集式铜冷却板，也可采用冷却板和冷却壁相组合的薄炉衬炉体结构形式。

4 炉身上部宜采用镶砖冷却壁。

8.0.4 高炉炉体、炉底宜采用软水密闭循环冷却。在水源充足、水质好的地区也可采用工业水开路循环冷却，并应采取合理有效的防结垢措施。

8.0.5 高炉砌体设计应根据炉容和冷却结构，以及各部位的工作条件选用耐火材料。风口带宜采用组合砖结构。炉缸、炉底应采用炭砖或炭砖与陶瓷材料复合式结构，并应采用优质炭砖砌筑。

8.0.6 高炉采用的优质炭砖，除应提出常规性能指标的要求外，还应提出导热系数、微孔率、抗铁水侵蚀性等指标的要求。

8.0.7 高炉采用的优质碳化硅砖，除应提出常规性能指标的要求外，还应提出导热率、抗渣性、热震稳定性等适宜炉身中、下部工作的指标要求。

8.0.8 高炉应采用自立式结构，宜设置炉体框架。1000m^3级高炉可不设炉体框架。

8.0.9 高炉风口数量应满足炼铁工艺要求，并应符合风口区炉壳开孔和结构要求。风口数量宜符合表8.0.9的规定。

表8.0.9 风口数量

炉容级别(m^3)	1000	2000	3000	4000	5000
风口数目(个)	16～26	24～30	28～34	34～40	40～42

8.0.10 设计应对炉缸耐材砌筑提出控制要求，不得将冷却壁与炭砖间的捣料缝作为安装误差的调整手段，炉缸炭砖和冷却设备间不应出现三角缝。

8.0.11 设计应提供高炉烘炉曲线及烘炉要点，并应提供高炉烘炉结束的判定准则。

8.0.12 炉喉宜设置十字测温装置和炉顶摄像装置，十字测温宜安装在炉喉钢砖的中部位置。炉缸侧壁特别是铁口下部区域，应设置炭砖温度监测设施。

8.0.13 高炉宜设置风口摄像装置、炉缸水系统热负荷检测系统及炉缸侵蚀模型，应设置炉顶煤气成分自动检测装置。

8.0.14 炉体冷却壁水系统应设置检漏设施；风口采用密闭循环水冷却时，宜在进出口设置流量计监测或压力检测设施。

8.0.15 出铁场下的炉体给排水环管应避开主沟下部容易漏铁的区域，当无法避开时应在水管上设置防护装置。主沟下方应避免敷设电缆及液压管道，当无法避免时应采取保护措施。高炉基础周围应设置有组织的排水设施。

8.0.16 炉顶应设置自动洒水装置。

9 风口平台及出铁场

9.0.1 在满足工艺运输要求的情况下，宜采用铁水一罐制工艺。

9.0.2 高炉应减少渣口数目，渣量小于 350kg/t 及设置两个以上铁口时宜取消渣口。出铁口数目应按高炉日产量计算，并宜符合表 9.0.2 的规定。

表 9.0.2 高炉的出铁口

炉容级别(m^3)	1000	2000	3000	4000	5000
铁口数目(个)	1～2	2～3	3	3～4	3～4

9.0.3 新建高炉的出铁场内相邻出铁口之间的夹角不应小于 60°。

9.0.4 炉前泥炮和开口机的性能应满足高炉强化生产的要求，并应满足对出铁口管理的要求。

9.0.5 渣铁沟宜采用耐火浇注料或预制块，宜采用贮铁式固定主沟。

9.0.6 风口平台和出铁场应设置起重机、渣铁钩专用维护修理设备。出铁场主跨起重机的起重量，不宜按主沟整体吊装的要求设置。

9.0.7 出铁场平台面积应满足炉前操作的要求，出铁场平台面积比宜符合表 9.0.7 的规定。

表 9.0.7 高炉出铁场平台面积比

炉容级别(m^3)	1000	2000	3000	4000	5000
出铁场平台面积比(m^2/m^3)	≤2.2	≤2.2	≤2.1	≤2.0	≤1.8

9.0.8 风口平台设计应满足通风除尘、风口设备及炉前设备检修要求。

9.0.9 高炉炉前宜设置铁水称重和铁罐液位检测装置。

9.0.10 新建容积为2000m^3级及以上高炉宜设置电梯及上出铁场高架通道。高架通道两侧应设防撞栏杆，高架通道的载荷宜按20t载重汽车设计，并应在通道的入口设置明显的载荷标示牌。

9.0.11 出铁场宜设置卫生间。炉前操作室、休息室不应设置在铁口的正方向，不宜设置在热风主管的下方。

9.0.12 出铁场铁口、受铁罐位及主沟等部位应设置抽风除尘设施。

9.0.13 出铁场宜采用平坦化布置，平台设计荷载应满足正常操作和检修要求，宜根据需要划定合理的荷载区域。

9.0.14 主沟长度应满足渣铁分离的要求，宜采用摆动流嘴缩短支铁沟的长度，宜选用大容量铁水罐车或鱼雷罐车。

9.0.15 主沟宜采用大断面的结构设计，主沟工作衬厚度宜大于450mm。

10 热风炉

10.0.1 热风炉应采取提高热效率、降低燃料消耗、满足热风炉长寿的技术措施。

10.0.2 热风温度宜为1250℃±50℃；拱顶温度不宜超过1400℃；排放的废气温度宜在150℃以下。

10.0.3 热风炉采用燃料种类应根据全厂煤气平衡确定，有高热值煤气的企业宜掺烧部分高热值煤气。

10.0.4 一座高炉宜配置3座热风炉。采用4座热风炉时，应采用交错并联送风。热风炉设计应同时满足加热能力和长寿的要求。新建和改建的热风炉宜采用顶燃式结构。

10.0.5 热风炉蓄热面积及格子砖重量，应根据入炉风量和送风时间为基准的热工计算确定，单位风量砖重不宜低于1.0t/(m^3/min)，单位风量的加热面积不宜低于38m^2/(m^3/min)。

10.0.6 热风炉应根据计算温度场和相关标准配置耐火材料。

10.0.7 热风炉炉箅子及支柱宜采用耐高温材料。燃烧末期最高废气温度宜为400℃～450℃。

10.0.8 热风炉废气排放应符合现行国家标准《炼铁工业大气污染物排放标准》GB 28663的有关规定。

10.0.9 热风炉应设置余热回收装置，回收烟气余热，预热助燃空气和煤气。

10.0.10 确定热风炉净煤气接点压力时，应包括余热回收装置的阻损在内的系统流路阻力损失。净煤气接点压力值应符合表10.0.10的规定。

表10.0.10 净煤气接点压力值的要求

炉容级别(m^3)	1000	2000	3000	4000	5000
煤气压力(kPa)	≥8		≥10		

11 渣铁处理

11.1 炉渣处理

11.1.1 炉渣处理宜采用水渣方式。在炉前冲制水渣时，应保证水渣的质量，并应满足节水的要求；冲渣水应循环使用。

11.1.2 水渣设施的能力应满足全部炉渣冲制水渣；应设置干渣处理设施或其他备用设施，备用设施处理能力宜满足开炉初期和水渣设施检修时高炉正常生产的要求。

11.1.3 炉前冲渣点应设置在出铁场外，并应设置安全设施。

11.1.4 炉渣处理循环水系统宜设冲渣水余热回收利用设施。

11.1.5 水渣处理工艺应根据水渣冲制的需要，以及节能、节水、环保、可靠的要求选择。

11.2 铸铁机及修罐设施

11.2.1 铸铁机厂房内临近铁水、液体炉渣等热辐射区的平台梁柱、起重机梁、厂房柱及其他建（构）筑物宜采取隔热防护措施。

11.2.2 铸铁机厂房内铁水浇注区域应设置除尘设施。

11.2.3 铸铁机操作室，应能观察到翻罐、铁水溜槽及前半部铸模的工作情况。

11.2.4 铸铁机工作台应采用耐火砖砌筑，宽度应大于5m。

11.2.5 铸铁机链带下面有人出入的地方，应设置防护格网。

11.2.6 铁水罐修理厂房内应采取通风、采光措施。

11.2.7 热修平台上应设置强制通风及冷却送风设施。

11.2.8 修理间应设置铁水包（罐）烘烤装置。

12 煤粉制备及喷吹

12.0.1 新建或改建的高炉必须设置喷吹煤粉设施。

12.0.2 高炉喷吹煤粉的设计应符合现行国家标准《高炉喷吹煤粉工程设计规范》GB 50607、《高炉喷吹烟煤系统防爆安全规程》GB 16543 及《钢铁冶金企业设计防火规范》GB 50414 的有关规定。

12.0.3 高炉喷吹煤粉量应根据原料和燃料质量、风温、富氧、鼓风湿度、炉顶压力和高炉操作水平等条件，以及煤粉的置换比确定。高炉喷煤量宜符合表 12.0.3 的规定。

表 12.0.3 高炉喷煤量

富氧率(%)	0～1.0	1.0～2.0	2.0～3.0	≥3.0
每吨铁喷煤量(kg/thm)	≥100	100～130	130～170	170～200

注：当采用自然湿度或加湿鼓风，热风温度为 1050℃～1100℃时，可采用表中下限值；当焦炭强度高、渣量低，并采用脱湿鼓风，热风温度为 1200℃～1250℃，可采用上限值。

12.0.4 煤粉制备及喷吹系统的设备能力，宜在高炉正常喷煤量的基础上留有 20%的富余，但最大喷煤量不宜大于 220kg/t。

12.0.5 喷吹混合煤和烟煤时，煤粉粒度小于 200 网目(74μm)的量宜大于 60%；喷吹无烟煤时，煤粉粒度小于 200 网目的量宜大于 80%。宜采用粉煤喷吹，煤粉细度 R_{90} 宜为 20%～25%。煤粉水分应不大于 1.5%。

12.0.6 高炉喷煤宜采用直接喷吹方式，喷吹站宜靠近高炉布置。

12.0.7 煤粉仓的容积应能贮存制粉系统磨煤机发生故障时高炉一个冶炼周期所需正常喷吹的煤粉量。

12.0.8 喷吹罐容量宜按持续喷吹时间 20min～40min 确定。

12.0.9 喷吹主管瞬时流量偏差应小于15%，支管分配误差应小于5%。

12.0.10 制粉系统可采用热风炉烟气直排式流程或制粉烟气自循环式流程。

12.0.11 混合煤、烟煤制粉系统必须按惰性干燥气设计，循环气体中的氧含量不应大于11%。

12.0.12 制粉系统烟气排放含尘浓度应符合现行国家标准《炼铁工业大气污染物排放标准》GB 28663的有关规定。

12.0.13 输送介质可采用氮气或压缩空气，到达风口前的压力应高于热风压力50kPa～100kPa。当采用压缩空气时，应单独设置喷煤专用空气压缩机组。压缩空气应经脱水、脱油处理。

12.0.14 煤粉喷吹主管设计宜满足固气质量比（输粉浓度）不小于20的要求。

13 高炉鼓风

13.1 高炉鼓风机站

13.1.1 鼓风站的设计应符合现行国家标准《钢铁企业热力设施设计规范》GB 50569 的有关规定。

13.1.2 鼓风站的位置宜靠近热风炉，并宜远离矿焦槽、制粉站、冷却塔设施。当不能避开矿焦槽、制粉站、冷却塔设施时，应处于全年主导风向的上风向。

13.1.3 鼓风站应设置备用鼓风机。当有其他备用冷风时，可不设置备用鼓风机。鼓风机宜采用静叶可调轴流鼓风机。

13.1.4 当有 2 座及以上高炉时，宜在高炉的冷风主管间设置拨风装置。

13.1.5 高炉鼓风系统应确定鼓风湿度，并应设置调湿装置。

13.1.6 鼓风机年平均工况点应在鼓风机的高效区内。

13.1.7 鼓风机宜采用电动；当采用汽轮机驱动时，应采用凝汽式工业汽轮机。

13.1.8 鼓风站重要参数宜送高炉中控室监视，高炉本体及热风炉的重要操作参数宜送鼓风站操作室监视。

13.2 富氧鼓风

13.2.1 高炉富氧系统的设计应符合现行国家标准《深度冷冻法生产氧气及相关气体安全技术规程》GB 16912 的有关规定。

13.2.2 高炉应采用富氧鼓风。在全厂有低压氧源时，富氧方式宜采用鼓风机前富氧。

13.2.3 鼓风机前富氧的富氧率不宜超过 6%。鼓风机后富氧应设置压力低的保护设施。

13.2.4 高炉富氧氧气的纯度应根据氧气供应条件确定，宜采用低纯度氧气。

14 高炉煤气净化及煤气余压利用

14.1 高炉煤气净化

14.1.1 高炉煤气发生量应根据高炉物料平衡计算确定。

14.1.2 炉顶煤气正常温度宜小于250℃；粗煤气除尘器的出口煤气含尘量宜小于$10g/m^3$。

14.1.3 粗煤气除尘器卸灰装置应防止炉尘溢出和煤气泄漏。

14.1.4 高炉煤气净化设计宜采用干法袋式除尘工艺。煤气干式除尘系统的设计应符合现行国家标准《高炉煤气干法袋式除尘设计规范》GB 50505和《工业企业煤气安全规程》GB 6222的有关规定。

14.1.5 高炉煤气净化系统应设置调压阀组，并应有效控制炉顶压力。在TRT系统未配有旁通快开阀时，调压阀组的调节阀应至少有一台具备失电、失信、失油压时自动开启功能的快开阀。

14.1.6 净煤气含尘量应小于$5mg/m^3$。

14.1.7 在净煤气氯离子等腐蚀性物质含量较高时，进入全厂煤气管网前宜设置碱液喷淋塔等控制煤气中氯离子含量的设施。

14.2 高炉煤气余压利用

14.2.1 新建高炉必须设置炉顶煤气余压利用装置。

14.2.2 炉顶煤气余压利用装置应与调压阀组配合控制炉顶压力。

14.2.3 高炉炉顶煤气余压发电（TRT）的设计应符合现行国家标准《煤气余压发电装置技术规范》GB 50584和《工业企业煤气安全规程》GB 6222的有关规定，炉顶煤气余压利用装置与鼓风机同轴机组（BPRT）的设计还应符合现行国家标准《钢铁企业热力设施设计规范》GB 50569的有关规定。

15 电气及自动化

15.1 电　　气

15.1.1 供电系统设计应符合下列规定：

1 供配电系统设计应符合现行国家标准《供配电系统设计规范》GB 50052、《低压配电设计规范》GB 50054、和《通用用电设备配电设计规范》GB 50055 的有关规定。汽动或电动鼓风站供电系统设计应符合现行行业标准《火力发电厂厂用电设计技术规程》DL/T 5153 的有关规定。

2 高炉炼铁系统主体生产设施负荷应按一级和二级负荷供电。当一级负荷中在断电时可能造成重大损失的消防设备、安全保护设备、自动化控制设备等特别重要设备，还应增设 UPS 电源、柴油发电机等应急电源。设备供电电源切换时间应满足设备允许中断供电要求。电源中断不会对生产产生影响的辅助生产设施、生活辅助设施、检修设施等应按三级负荷供电。

3 高炉炼铁系统的供电电压宜采用 10kV。

4 鼓风站供电电压宜采用 35kV 或 110kV。

5 在负荷较集中的区域，应设置 10kV 配电系统并应根据负荷大小以及外部电源电压等级情况决定是否设置区域总降变电所。

6 2000m^3及以上高炉的电动鼓风机应由专用变压器供电，专用变压器电源的上级供电变电所宜采用专用母线。

7 高炉炼铁系统 10kV 配电及 380V 低压负荷中心配电宜采用单母线分段带母联的接线方式，任一段母线应具备承担全部一级和二级负荷的能力。

8 同一物流工艺流程上的用电设备宜接在同一段供电母线

上。互为备用的用电设备，不应接在同一段供电母线上。

9 在中性点直接接地的380V低压配电系统中，宜选用D,yn11接线组别的三相电力变压器。

15.1.2 继电保护及安全自动装置设计应符合下列规定：

1 应满足可靠性、选择性、灵敏性、速动性和运行维护方便的要求。

2 应符合现行国家标准《电力装置的继电保护和自动装置设计规范》GB/T 50062的有关规定。

3 变配电所应采用微机综合监控自动化系统或纳入高炉炼铁基础自动化系统，完成高压配电系统电能数据采集、监视和控制。

4 有人值守的变配电所宜配置电力监控终端。

15.1.3 无功补偿及电能质量应符合下列规定：

1 无功补偿装置的设计应符合现行国家标准《并联电容器装置设计规范》GB 50227的有关规定。

2 自然功率因数达不到要求的系统，应设置无功补偿并避免过补偿。

3 供配电系统的电能质量应符合现行的电能质量国家标准相关规定。

15.1.4 变(配)电所及电气室设计应符合下列规定：

1 应符合现行国家标准《20kV及以下变电所设计规范》GB 50053和《35kV～110kV变电站设计规范》GB 50059的有关规定。

2 在爆炸危险环境设置的电气室应符合现行国家标准《爆炸危险环境电力装置设计规范》GB 50058的有关规定。

3 低压配电系统应设置浪涌保护器(SPD)，并应符合现行国家标准《建筑物防雷设计规范》GB 50057的有关规定。

4 电气室和操作室应避免设置在具有高温、煤气、腐蚀、振动、粉尘等污染源的环境，宜设置在污染源的上风侧。

5　电气室(操作室)宜预留高低压电气柜(操作台)安装备用位。有分期(步)建设需求时,共用的电气室(操作室)宜一次建成。

6　有人值班的电气室和操作室,宜设置卫生间、休息室等辅助用房。高炉中控室(楼)宜设置管理及会议用房。

7　电气室(操作室)内部宜采用电缆沟或电缆夹层配线。进出电气室(操作室)的线路应防止地下水或雨水浸入电气室(操作室)。

15.1.5　供配电及传动设备设计应符合下列规定:

1　高炉供配电及传动设备需满足冶金工厂生产环境的要求,应选择节能环保型的产品。

2　电气设备的选择应综合设备安装地点的海拔、温度、湿度、地震灾害、机械振动、腐蚀等因素的影响。

3　低压配电负荷中心柜柜体宜采用固定式结构;低压马达控制中心柜柜体宜采用固定式或抽屉式结构。固定式低压柜内部配电回路应设置检修隔离设备。

4　高炉除尘风机等风量变化较大的设备宜按照除尘工作制采用变频调速装置驱动。

5　调速的电动机宜采用交流变频装置。

6　高炉炉顶溜槽倾动变频调速装置应冗余设置。

15.1.6　电气工程设计应符合下列规定:

1　防火设计应符合现行国家标准《建筑设计防火规范》GB 50016和《钢铁冶金企业设计防火规范》GB 50414的有关规定。

2　电气线路设计应符合现行国家标准《电力工程电缆设计规范》GB 50217的有关规定。在出铁场、重力除尘器、热风炉本体、铁水转运等高温场所敷设线路时,应避开高温区;无法避开时,应选用高温耐火电缆或采用隔热防护措施。

3　照明设计应符合现行国家标准《建筑照明设计标准》

GB 50034 的有关规定。应采用节能环保型灯具，室外照明电源宜采用光控、时控或自动化集中控制方式。

4 防雷设计应符合现行国家标准《建筑物防雷设计规范》GB 50057 的有关规定。

5 接地设计应符合现行国家标准《交流电气装置的接地设计规范》GB/T 50065 的有关规定。

6 爆炸危险环境电气设计，应符合现行国家标准《爆炸危险环境电力装置设计规范》GB 50058 的有关规定。

15.2 仪 表

15.2.1 仪表配置、选用应符合下列规定：

1 除安装在 PP 管等特殊材质的管道和设备外，法兰连接的仪表，配对法兰、垫片及紧固件宜随仪表一起配套提供，订货时应提供工艺管道的外径和壁厚尺寸。

2 称量仪表应根据使用场合和用途，选择满足工艺检测、控制及计量要求的产品；贸易计量秤应符合现行国家标准《钢铁企业能源计量器具配备和管理要求》GB/T 21368 的有关规定，静态计量应达到Ⅲ级秤标准，动态计量应达到 0.5 级标准。

3 在选用隔爆型仪表时，应注明其进线口连接电缆的外径。

4 爆炸危险环境的检测元件、变送器、执行器等仪表设备的防爆要求，应根据工艺专业划分的爆炸危险场所分区和该场所爆炸性混合物级别选择，并应符合现行国家标准《爆炸性环境 第 1 部分：设备通用要求》GB 3836.1 的有关规定。防爆结构级别和组别，不应低于危险介质级别和组别。

5 火灾危险环境中的检测元件、变送器、执行器等仪表设备的外壳防护结构，应符合现行国家标准《外壳防护等级(IP 代码)》GB 4208 的有关规定。

6 核辐射仪表，在满足基本性能的前提下应降低射源强度。

仪表操作、维修人员的工作场所，射源端和接收端1m内，辐射安全剂量应符合现行国家标准《电离辐射防护与辐射源安全基本标准》GB/T 18871的有关规定。根据现场环境，在放射源及接收端周围应设置放射性同位素专用警示标志，并应设置安全警戒区的护栏或铁丝网。

15.2.2 温度检测仪表设计应符合下列规定：

1 热电阻应采用三线制。

2 高炉水系统采用热负荷检测时，温度计应选用检测精度0.1℃以上的高精度温度计。

15.2.3 压力仪表设计应符合下列规定：

1 振动影响压力检测的场所，宜选用耐震型的就地压力表或采取远程取压模式。

2 测量黏稠、易结晶、含有固体颗粒或腐蚀性介质的压力，宜选用远程法兰式压力、差压变送器，并宜增加其他防护措施。

3 便于维护的场所宜采用直接安装在管道或设备上的压力、差压变送器。

15.2.4 流量仪表设计应符合下列规定：

1 测量压力、温度波动较大的介质流量以及厂际计量的气体流量，应进行温度和压力补偿。

2 导电液体的流量测量宜采用电磁流量计。

3 电磁流量计、涡街流量计等仪表，当安装位置不易观察或转换器不能满足环境要求时，应采用分体结构。

4 工艺管道采用埋管时应设置仪表井。

15.2.5 物位仪表设计应符合下列规定：

1 工况条件较好的介质的液位测量，宜选用差压式液位变送器或静压式液位变送器。

2 在正常工况下密度发生明显变化的液体介质，不宜采用差压式变送器进行液位测量。

15.2.6 控制阀在动力源发生故障时的开启状态，应根据工艺操作和设备、人身安全要求，使其处于安全位置。关键设备还应备有保位、切断、备用动力源等附加设备。

15.2.7 仪表动力设施设计应符合下列规定：

1 仪表电源宜选用AC380V（三相四线制）、220V（L/N/PE）和DC24V电源，重要仪表应采用UPS供电。

2 重要工艺设备仪表气源，应设置满足停气后维持15min供气时间的缓冲罐；气源质量应达到下列指标：

1) 在线压力下的气源露点应比当地大气最低温度低10℃；

2) 净化后的干气体含尘粒度应小于5μm、含尘量应小于$5mg/m^3$、含油量应小于$1mg/m^3$。

3 供气源正常工作压力宜为500kPa～800kPa。净化空气气源不易取得时，宜使用氮气源作为仪表气源，并应在气源集中区域设置明显的用氮气标志。使用氮气源时，其泄漏点或排放点处不得有氮气积聚，在有潜在可能积聚的地方宜设置氧浓度检测报警装置和换气装置。

4 不得在控制室内使用氮气做仪表气源。高炉煤气分析室内如用氮气吹扫，不得将氮气排放至室内，氮气排放口宜伸出墙外并高出附近操作面4m以上；室内宜设置一个氧气含量检测装置，并应设置低限报警；通风不良的室内应设通风机强制换气。

15.2.8 特殊仪表的选型应符合下列规定：

1 矿焦槽及上料系统设置水分检测仪时，宜选择中子水分计。

2 槽上系统设置料位检测时，宜选择为槽顶部安装方式。

3 采用炉顶煤气成分分析仪时，应选择可靠且易维护的过滤装置。

4 出铁场下设置铁水称量轨道衡时，轨道衡宜设置排水设施。

5 热风炉烟气排放烟囱宜设置环保检测装置。

15.3 自 动 化

15.3.1 基础自动化设计应符合下列规定：

1 基础自动化控制宜采用可编程序控制器(PLC)系统。

2 可编程序控制器(PLC)控制系统的控制站和操作员站宜按照工艺控制功能的划分设置。

3 关键设备和重点区域的可编程序控制器(PLC)控制系统，其内部电源、控制站以及网络和网络服务器宜冗余配置；操作员站宜互为备用。

4 可编程序控制器(PLC)控制系统在进行I/O模件和模件插槽的配置时，应设置I/O备用量和I/O模件备用插槽；配置的接线端子数量应与备用量相匹配。

5 可编程序控制器(PLC)控制系统数据处理能力以及网络通信能力应留有余量。

6 高炉炼铁工艺系统宜在高炉中央控制室集中监控。

7 高炉炼铁中央控制室宜设置独立于PLC控制系统的紧急操作盘(台)；当PLC控制系统故障时，应通过继电器硬接线回路进行应急操作。

8 可编程序控制器(PLC)控制系统宜单独接地。

15.3.2 过程控制计算机系统设计应符合下列规定：

1 高炉炼铁过程控制计算机系统的控制范围宜从原燃料进料称量开始到出铁为止，并宜包含热风炉控制及数据处理。

2 高炉炼铁过程控制计算机系统宜采用C/S或B/S结构，过程控制计算机系统宜采用服务器冗余、网络冗余配置。

3 高炉炼铁过程控制计算机系统的应用软件功能，应满足生产工艺要求及控制要求，应用软件功能包含基本功能、数学模型和专家系统。基本功能应包含生产过程的数据采集及统计、数据处理、数据存储、计算、报表、通信等内容。主要数学模型和专家系统宜符合表15.3.2的规定。

表 15.3.2 过程控制计算机系统主要模型项目

序号	模　　型	推荐配置	选择配置	备注
1	配料计算模型	√		
2	布料模型		√	
3	最小燃料比模型	√		
4	炉身模拟模型		√	
5	鼓风模拟模型		√	
6	间接还原模型	√		
7	硅预报模型		√	
8	质量和能量平衡模型	√		
9	软熔带模型		√	
10	出铁管理模型	√		
11	炉缸侵蚀模型	√		
12	回旋区计算模型		√	
13	热风炉燃烧控制模型	√		
14	专家系统		√	

4 计算机网络通信宜选用以太网标准，并采用 TCP/IP 协议。

5 过程控制计算机系统宜设置计算机机房。

6 过程自动化系统宜与基础自动化系统共同接地。

7 高炉本体及炉内的主要操作监视数据的采样频率可分为日、小时及分钟级，分钟级数据的保存时间宜半年以上，日及小时数据宜保存一代炉役。

15.4 电　　信

15.4.1 高炉炼铁车间电信系统设计应符合下列规定：

1 生产管理、检修等部门的行政及调度电话，宜纳入全公司电话系统统一设置。

2 重要的生产岗位应设置两种以上的通讯装置，重要的生产岗位与中央控制室应设置直通电话或具备直通电话功能的数字程控电话。

3 操作岗位之间的生产联系有扩音通信功能需求时，应设置具有选呼、组呼等功能的扩音通信系统。

4 生产过程中需要监视的生产工(部)位，应设置工业电视系统，其系统设计应符合现行国家标准《工业电视系统工程设计规范》GB 50115 的有关规定。

5 电气室、计算机室、主控楼、液压站、变电所和电缆隧道等场所的火灾自动报警系统设计，应符合现行国家标准《钢铁冶金企业设计防火规范》GB 50414 的有关规定。

6 生产计划下达与计划协调等业务需通过调度员组织实施时，宜设置程控数字调度电话系统。

7 移动操作岗位之间、移动操作岗位与固定操作岗位之间的生产联系，宜设置无线对讲通信系统。

8 在无人值守的区域宜设置视频安全防范系统。

15.4.2 高炉炼铁车间电信系统供电应符合下列规定：

1 火灾自动报警系统供电应符合现行国家标准《火灾自动报警系统设计规范》GB 50116 和《钢铁冶金企业设计防火规范》GB 50414 的有关规定。

2 其他电信系统应由可靠交流电源供电。

16 给水排水

16.0.1 高炉炼铁工程给水排水设计应符合现行国家标准《钢铁企业给水排水设计规范》GB 50721 和《钢铁企业节水设计规范》GB 50506 的有关规定。

16.0.2 给水排水系统的设置应遵循节能减排、循环利用、集中和分散、近期与远期相结合、因地制宜的原则，选择节约用水的工艺、技术、设备。

16.0.3 高炉炼铁工程应设置工业和生活给水、排水设施、消防给水设施。

16.0.4 高炉用水应根据不同水质和水压要求分别设置给水排水系统，并应根据不同水质、水压和水温的要求串级使用。

16.0.5 高炉设计应确保循环水水质稳定，并应采用节能和降低水蒸发或泄漏的工艺和设备。

16.0.6 以江河水、湖水等地表水为原水，经常规处理能产生低硬度的水时，高炉可采用开路循环冷却水系统。在水质硬度较高的地区，应软化生产新水并应采用软水密闭循环冷却水系统，特定条件下可采用除盐水或纯水闭路循环。在气象条件允许的地区，宜采用空气冷却器或蒸发空冷器冷却循环水。

16.0.7 在正常生产时，高炉炉体冷却壁冷却的闭路循环软水进口温度宜为 40℃～50℃，不宜超过 60℃。在高炉炉体峰值热负荷时，短时排水温度可提高到 70℃。

16.0.8 高炉主给排水管路宜敷设在地下，大型、特大型高炉可设置地下管廊。因条件限制采用架空敷设时，应采取防碰撞保护措施。

16.0.9 **高炉冷却水系统的供水必须安全可靠，不得断水。**

16.0.10 高炉本体的安全供水系统宜采用柴油泵机组供水，安全供水量应为正常供水量的50%～70%。工业水冷却的高炉应设置高位水池或高位水塔，高位水塔的安全供水时间宜为5min～10min；采用应急柴油泵机组供水时，柴油机泵的启动时间不应超过10s。

16.0.11 高炉冲渣水系统的安全供水宜按正常水量供水5min～10min设计。

16.0.12 泵站到高炉冷却水系统的外部供水管路宜采用一路供水。

17 采暖通风

17.0.1 厂区建构筑物的采暖通风与空气调节设计，应符合现行国家标准《工业建筑供暖通风与空气调节设计规范》GB 50019 的有关规定。

17.0.2 通风除尘设计应符合国家现行标准《钢铁企业通风除尘设计规范》YB 4359 及《工业企业设计卫生标准》GBZ 1 的有关规定。

17.0.3 原燃料运输和筛分设施的产尘点应设置抽风除尘，在物料性状和含湿量允许时，可采用喷水雾抑尘。

17.0.4 出铁场的铁口、摆动流槽、罐位应设置除尘抽风口，并应设置吸风罩和挡烟设施；撇渣器、渣沟、铁沟宜设置沟盖和除尘抽风口。

17.0.5 铸铁、碾泥、罐车解体和机修设施的烟气发散点和产尘点应设置抽风除尘。

17.0.6 除尘系统应结合工艺和密闭条件合理确定末端风量，各支路宜设置调节装置。除尘风机的风量、风压应与管网阻力特性相匹配。

17.0.7 除尘器前的管道在易磨损部位应采取耐磨措施，管网应合理确定抽风口和管道风速，减少气体携尘量和管道积灰。

17.0.8 除尘风机出口宜设置消声设施。

17.0.9 烟气净化设备宜选用袋式除尘器，袋式过滤面积的确定应满足净化后气体排放浓度符合现行国家标准《炼铁工业大气污染排放标准》GB 28663 的有关规定。

18 节能及介质管线

18.0.1 压缩空气宜采用净化气体，净化气体应符合现行国家标准《压缩空气　第1部分：污染物净化等级》GB 13277.1的有关规定。

18.0.2 能源介质管线设计应符合现行国家标准《工业金属管道设计规范》GB 50316、《深度冷冻法生产氧气及相关气体安全技术规程》GB 16912的有关规定；压力管道设计应符合国家现行标准《压力管道规范　工业管道》GB/T 20801和《压力管道安全技术监察规程—工业管道》TSG D0001的有关规定。

18.0.3 高炉炼铁工程设计应采取节约资源和能源的措施。

18.0.4 高炉炼铁工程设计应充分利用废热、废气和余压等能源。

18.0.5 高炉炼铁工程设计应采取防止能源介质泄漏的措施。

18.0.6 进入高炉炼铁车间的能源介质应设置总管流量计。

19 建筑和结构

19.1 一般规定

19.1.1 高炉炼铁车间的建筑、结构设计应满足生产要求，做到安全、适用、经济并保证质量。宜采用成熟可靠的新材料、新技术。

19.1.2 高炉车间的建、构筑物安全等级宜为二级。

19.1.3 建筑防火设计应符合现行国家标准《建筑设计防火规范》GB 50016和《钢铁冶金企业设计防火规范》GB 50414的有关规定。建筑防腐设计应符合现行国家标准《工业建筑防腐蚀设计规范》GB 50046的有关规定。

19.1.4 地震区建筑结构设计应符合现行国家标准《建筑抗震设计规范》GB 50011和《构筑物抗震设计规范》GB 50191的有关规定，宜采用体型规则的结构形式。

19.1.5 建(构)筑物的荷载应按生产工艺要求选取，并应符合现行国家标准《建筑结构荷载规范》GB 50009的有关规定。

19.1.6 建筑结构的设计使用年限应根据生产工艺条件确定。

19.1.7 高炉炼铁车间的建构筑物荷载设计不宜附加积灰荷载。

19.2 厂房、框架结构

19.2.1 高炉框架、热风炉框架、风口平台和出铁场厂房，宜采用钢结构。

19.2.2 厂房建筑、结构平面布置及内部空间应满足生产工艺安全操作、使用空间及设备检修的要求。

19.2.3 厂房围护结构应满足生产工艺、节能、环保及采光的要求。

19.2.4 出铁场厂房应根据散热负荷设置通风天窗，并应满足通风换气及排烟除尘的要求。

19.2.5 出铁场平台应采用钢筋混凝土结构或钢结构，高温区的结构层表面应设置耐火砖或耐火混凝土保护层，渣铁沟底部及侧壁的结构层应采用耐热混凝土结构。风口平台在主沟上方、出铁场平台下方铁水接受区域的结构，应采取局部隔热防护措施。

19.2.6 高炉、热风炉及厂房柱基础形式和地基方案，应根据地质、水文地质、环境和施工条件，以及基础荷载等因素确定，并应满足生产操作对沉降的要求。厂房柱基础的承载力和变形设计应符合现行国家标准《建筑地基基础设计规范》GB 50007 的有关规定。

19.2.7 矿焦槽槽体锥段应设抗磨内衬。

19.2.8 槽下振动筛设备平台宜采用钢筋混凝土结构；当采用钢结构时应与称量斗平台分开设置。

19.2.9 高炉、热风炉、旋风除尘器和重力除尘器壳体应符合现行国家标准《炼铁工艺炉壳体结构技术规范》GB 50567 的有关规定。

19.2.10 出铁场建筑设计应满足自然采光、自然通风要求。

19.2.11 设备基础设计、荷载选取、计算，基础的变形控制量应符合现行国家标准《钢铁企业冶金设备基础设计规范》GB 50696 的有关规定。

20 检化验

20.0.1 高炉检化验设施宜根据钢铁厂总体规划，可单独设置也可与钢铁厂其他生产工序检化验要求集中设置。检化验设施宜由全厂统一设置。

20.0.2 高炉上料系统宜设置原料、燃料、熔剂取样点及自动取样设施。

20.0.3 检化验设施设计应符合下列规定：

1 应检测入炉原料、燃料、熔剂的理化性能：

1) 烧结矿、球团矿、块矿应检验分析 TFe、FeO、SiO_2、CaO、Al_2O_3、MgO、S 等化学成分。

2) 烧结矿还应检测转鼓指数、筛分指数、还原度、低温还原粉化率、荷重还原软熔温度等指标。

3) 球团矿还应检测转鼓指数、还原度、抗磨指数、筛分指数、抗压强度、还原膨胀率等指标。

4) 块矿应检测热爆裂指数。

5) 焦炭应检验分析 FCad、Mt、Aad、Vdaf、St，d、转鼓强度 M40、M10 等指标，还应检测焦炭反应后强度 CSR、反应性 CRI 等冶金性能指标，宜分析焦炭灰分的成分。

6) 喷吹煤粉应检验分析 Mt、Aad、Vdaf、St，d、粒度、发热量、可磨性系数、爆炸性、灰分软化温度、元素分析等指标，宜分析煤粉灰分的成分。

7) 应根据冶炼条件对有害元素如碱金属、Zn、Pb、F 等进行检测分析。

2 应分析铁水化学成分、炉渣的化学成分。

3 应测定炮泥塑性、马夏值。

4 应分析高炉炉顶煤气成分。

5 应分析高炉水处理设施的水质。

6 应分析高炉汽动鼓风机站的水质、蒸汽。

7 应分析高炉除尘灰的化学成分。

20.0.4 高炉炉前宜设置快速输送铁水、炉渣试样的风动送样设施。

20.0.5 检测数据应及时通过网络传输到高炉控制系统。

20.0.6 检化验设施应根据检测要求选用技术先进、性能可靠的快速检化验设备。检化验设施应便于设备的管理、操作、维修并采取相应的环保措施。

21 安全与环保

21.1 安 全 卫 生

21.1.1 高炉炼铁工程安全卫生设计应符合下列规定：

1 安全设计应包括抗震、防雷、防洪、用电安全保护，机械传动与输送设备安全保护，设备操作与检修安全设施，煤粉、煤气及其他各种介质使用安全措施，安全通讯等设施。

2 工业卫生设计还应包括防尘毒、防高噪声、采光与照明、防暑、防寒、生产区的生活卫生等。

3 安全卫生设施应和主体工程同时设计。

21.1.2 有放射源的场所或部位应采取放射性防护措施。

21.2 环 境 保 护

21.2.1 高炉炼铁设计宜选用无毒、无害的原料，应采用资源和能源消耗低、污染物排放量少的清洁生产工艺、技术和设备。

21.2.2 高炉生产所产生的煤气、固体废弃物、废水等均应采取再资源化措施回收利用。

21.2.3 高炉炼铁设计对炼铁车间生产所产生的烟尘、粉尘的治理，应符合下列规定：

1 高炉出铁场烟尘、矿槽、焦槽、炉顶装料、煤粉制备、均排压放散等设备和物料输送系统的所有产尘点的烟、粉尘应采取除尘措施；除尘灰应回收利用，同时应防止烟气的无组织排放。烟气的排放应符合现行国家标准《炼铁工业大气污染排放标准》GB 28663 的有关规定。

2 出铁场主铁沟及渣铁沟应设置沟盖，产生的烟尘应采取除尘措施。应控制无组织的烟尘排放，对紧靠出铁口的主铁沟宜设置移动沟盖和移盖机。

3 煤场到高炉制粉间原煤运输、破碎、筛分产生的粉尘应采取除尘措施。磨煤机、喷吹罐压力排放等应采取防止粉尘污染的措施，并应回收利用粉尘。

21.2.4 煤气清洗废水、冲渣废水、干渣冷却废水等含有毒有害物质的废水不得外排。

21.2.5 在采用水冲渣时，应减少炉渣冲制过程和运输过程对环境的污染，高浓盐废水不宜用于冲水渣。

21.2.6 高炉炼铁设计应采取下列防噪声措施：

1 高炉、鼓风、热风炉冷风放风阀、助燃风机、排压阀、炉顶煤气余压发电透平、调压阀组、煤气清洗、除尘及其管道等系统，应选用低噪声设备或采取噪声控制措施，并符合现行国家标准《工业企业噪声控制设计规范》GB/T 50087 的有关规定。

2 高炉炉顶料罐均压、排压煤气系统应设置消音器及管道隔音设施。

3 高炉喷煤系统的磨煤机、喷吹罐压力排放阀和空压机，应采取降低噪声的措施。

21.2.7 环保设备应具有可靠性，并应设置维修设施。当环保设备停机或出现故障时，应采取措施避免对环境产生有害影响。

21.2.8 炼铁区域平面布置应设置绿化场地。

21.2.9 高炉工程设计应符合现行行业标准《清洁生产标准　钢铁行业（高炉炼铁）》HJ/T 427 的有关规定。

21.3 消　　防

21.3.1 高炉炼铁工程应设置消防系统，并应与主体工程同时设计。

21.3.2 建筑消防设计应确定建筑物耐火等级、防火间距、消防通道和建筑物防雷保护措施。

21.3.3 电气消防设计应采取电气设备接地、接零，电动机短路、过负荷保护，电缆防火、堵火措施，并应设置火灾自动报警系统等措施。

21.3.4 炼铁区域消防系统设计应符合现行国家标准《建筑设计防火规范》GB 50016、《建筑灭火器配置设计规范》GB 50140 和《钢铁冶金企业设计防火规范》GB 50414 的有关规定。

本规范用词说明

1 为便于在执行本规范条文时区别对待，对要求严格程度不同的用词说明如下：

1)表示很严格，非这样做不可的：

正面词采用“必须”，反面词采用“严禁”；

2)表示严格，在正常情况下均应这样做的：

正面词采用“应”，反面词采用“不应”或“不得”；

3)表示允许稍有选择，在条件许可时首先应这样做的：

正面词采用“宜”，反面词采用“不宜”；

4)表示有选择，在一定条件下可以这样做的，采用“可”。

2 条文中指明应按其他有关标准执行的写法为：“应符合……的规定”或“应按……执行”。

引用标准名录

《建筑地基基础设计规范》GB 50007
《建筑结构荷载规范》GB 50009
《建筑抗震设计规范》GB 50011
《建筑设计防火规范》GB 50016
《工业建筑供暖通风与空气调节设计规范》GB 50019
《建筑照明设计标准》GB 50034
《工业建筑防腐蚀设计规范》GB 50046
《供配电系统设计规范》GB 50052
《20kV 及以下变电所设计规范》GB 50053
《低压配电设计规范》GB 50054
《通用用电设备配电设计规范》GB 50055
《建筑物防雷设计规范》GB 50057
《爆炸危险环境电力装置设计规范》GB 50058
《35kV～110kV 变电站设计规范》GB 50059
《电力装置的继电保护和自动装置设计规范》GB/T 50062
《交流电气装置的接地设计规范》GB/T 50065
《工业电视系统工程设计规范》GB 50115
《火灾自动报警系统设计规范》GB 50116
《建筑灭火器配置设计规范》GB 50140
《构筑物抗震设计规范》GB 50191
《电力工程电缆设计规范》GB 50217
《并联电容器装置设计规范》GB 50227
《工业金属管道设计规范》GB 50316
《钢铁冶金企业设计防火规范》GB 50414

《高炉煤气干法袋式除尘设计规范》GB 50505
《钢铁企业节水设计规范》GB 50506
《炼铁工艺炉壳体结构技术规范》GB 50567
《钢铁企业热力设施设计规范》GB 50569
《煤气余压发电装置技术规范》GB 50584
《钢铁企业总图运输设计规范》GB 50603
《高炉喷吹煤粉工程设计规范》GB 50607
《钢铁企业节能设计规范》GB 50632
《钢铁企业冶金设备基础设计规范》GB 50696
《钢铁企业给水排水设计规范》GB 50721
《工业企业设计卫生标准》GBZ 1
《工业企业噪声控制设计规范》GB/T 50087
《爆炸性环境　第1部分：设备通用要求》GB 3836.1
《外壳防护等级(IP代码)》GB 4208
《工业企业厂内铁路、道路运输安全规程》GB 4387
《工业企业煤气安全规程》GB 6222
《压缩空气　第1部分：污染物净化等级》GB/T 13277.1
《高炉喷吹烟煤系统防爆安全规程》GB 16543
《深度冷冻法生产氧气及相关气体安全技术规程》GB 16912
《电离辐射防护与辐射源安全基本标准》GB/T 18871
《压力管道规范　工业管道》GB/T 20801
《钢铁企业能源计量器具配备和管理要求》GB/T 21368
《炼铁工业大气污染排放标准》GB 28663
《钢铁企业通风除尘设计规范》YB 4359
《炼铁安全规程》AQ 2002
《清洁生产标准　钢铁行业(高炉炼铁)》HJ/T 427
《火力发电厂厂用电设计技术规程》DL/T 5153
《压力管道安全技术监察规程—工业管道》TSG D0001

中华人民共和国国家标准

高炉炼铁工程设计规范

GB 50427-2015

条 文 说 明

修 订 说 明

《高炉炼铁工程设计规范》GB 50427—2015，经住房和城乡建设部2015年6月26日以第859号公告批准发布。

本规范是在原国家标准《高炉炼铁工艺设计规范》GB 50427—2008的基础上修订而成的，上一版的主编单位是中冶赛迪工程技术股份有限公司；参编单位是：宝山钢铁股份有限公司、鞍钢新钢铁有限公司、中冶京诚工程技术股份有限公司、中冶南方工程技术股份有限公司、首钢设计院、鞍钢设计院、武汉钢铁（集团）公司、本溪钢铁（集团）有限责任公司、中冶华天工程技术股份有限公司、中冶东方工程技术股份有限公司、攀枝花钢铁（集团）公司。主要起草人是：项钟庸、陶荣尧、汤清华、王冬、彭安详、陈映明、柳萌、唐振炎、苏蔚、邵诗兵、王明强、马永武、韩忠礼、汤传盛、张勇。

本次规范修订过程中，编制组进行了广泛的调查研究，认真总结实践经验，认真分析了有关资料及其数据，借鉴了相关标准规范，广泛征求了有关生产、设计、院校的意见，对主要问题和疑难问题进行了反复的研讨和修改，最终完成了本次修编工作。为了方便广大设计、施工、生产、科研、学校等单位有关人员在使用本规范时能正确理解和执行条文规定，《高炉炼铁工程设计规范》编制组按章、节、条顺序编制了本规范的条文说明，对条文规定的目的、依据以及执行中需注意的有关事项进行了说明，还着重对强制性条文的强制性理由作了解释。但是本条文说明不具备与规范正文同等的法律效力，仅供使用者作为理解和把握规范规定的参考。

目　次

1 总　　则

1.0.1 本条是高炉炼铁工程设计必须遵循的原则。

1.0.3 本条按《钢铁产业发展政策》及发改委的有关政策制定。

国土资源部、国家发展和改革委员会关于发布实施禁止用地项目目录(2012 年本)中有“3.有效容积 400 立方米以上 1200 立方米以下炼铁高炉;1200 立方米及以上但未同步配套煤粉喷吹装置、除尘装置、余压发电装置,能源消耗大于 430 公斤标煤/吨、新水耗量大于 2.4 立方米/吨等达不到标准的炼铁高炉。”

2 术　语

2.0.1～2.0.3 高炉内型的名词定义。

高炉内型分为六个部分：由炉缸、炉腹、炉腰、炉身、炉喉和死铁层组成。炉缸、炉腰和炉喉为圆柱形，炉腹和炉身为锥台形。各部位尺寸的表示符号见图1。

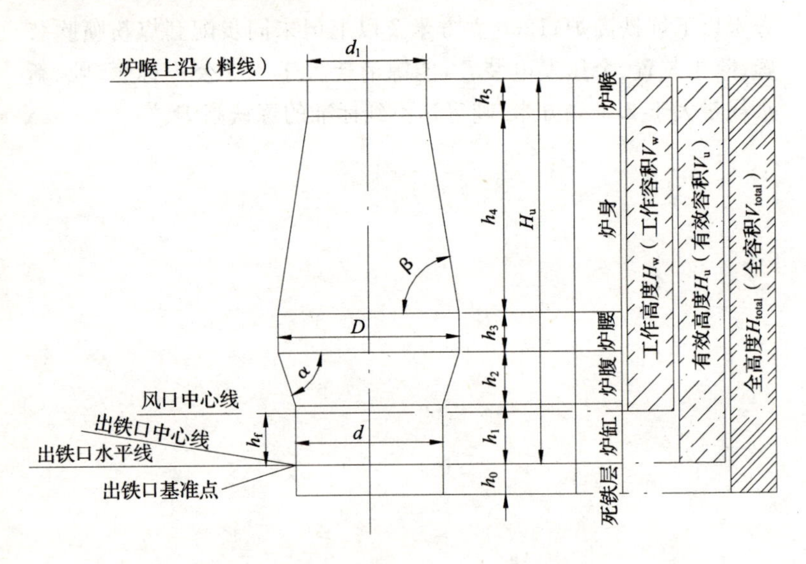

图1　高炉内型各部分尺寸的表示方法

d—炉缸直径；D—炉腰直径；d_1—炉喉直径；H_u—有效高度；h_1—炉缸高度；h_2—炉腹高度；h_3—炉腰高度；h_4—炉身高度；h_5—炉喉高度；h_0—死铁层高度；h_f—风口高度；α—炉腹角；β—炉身角

高炉容积的定义：

国内、国外衡量高炉产能的指标有：高炉有效容积V_u、内容积V_{inner}、工作容积V_w、总容积V_{total}、炉缸断面积A或炉缸直径d等。

我国和独联体国家多用高炉有效容积，日本和西方多用内容积。西方也用工作容积、总容积、炉缸断面积等。当高炉采用无料钟炉顶时，有效容积与内容积几乎相等，遵循我国的习惯，并且也能与独联体、日本和西方接轨，因此本规范采用有效容积作为高炉尺寸大小的标志。

高炉有效容积(effective volume of blast furnace)为高炉有效高度内包容的容积(m^3)。

各国对于高炉有效高度的描述有些差别：

(1)为了真实地计算高炉有效容积，维护统计的可靠性，本规范规定，高炉有效高度为高炉零料线到出铁口中心线之间的垂直距离。

料钟式高炉的零料线是指大钟下降下沿位置。无料钟式高炉的零料线可设置在炉喉钢砖上沿位置。

出铁口中心线的定义是以炉缸内型的轮廓线与出铁口通道中心线的交点为基准点引出的水平线，见图1。出铁口中心线只与内型有关，而与出铁口处的砌体厚度和炉壳的尺寸无关。

炉缸直径 d 由风口带永久砖衬围砌成的内表面直径决定，在此直径以内的一切砌体、保护砖、喷涂料均计算在炉缸容积之内。炉喉直径 d_1 为钢砖内表面直径。

在计算高炉有效容积时，高炉炉缸和炉喉部份容积按照设计内型的炉缸尺寸和炉喉尺寸计算，其余部分应按包括保护砖和保护喷涂层在内的容积计算。炉腰直径 D 由永久砖衬围砌成的内表面直径决定。

当采用薄壁内衬冷却壁表面不砌砖，也不镶砖时，一般在铜冷却壁热面喷涂或浇注厚度50mm～100mm的不定型耐火材料可不包括在高炉有效容积之内。各部分高度请见图1。

高炉有效容积按下式计算：

$$V_u=\frac{\pi d^2}{4}\cdot h_1+\frac{\pi}{3}h_2(d^2+d\cdot D+D^2)+\frac{\pi D^2}{4}\cdot h_3+$$

$$\frac{\pi}{3}h_4(D^2+D\cdot d_1+d_1^2)+\frac{\pi d_1^2}{4}\cdot h_5 \tag{1}$$

(2)日本以高炉内容积作为衡量高炉的大小，料钟式高炉的零料线位置是取大钟开启时底面以下 1000mm 处。零料线位置至出铁口底面与炉缸直径轮廓线的交点为基准点引出的水平线之间的容积为内容积 V_{inner}。

$$V_{\text{inner}}=\frac{\pi d^2}{4}(h_1+h_t)+\frac{\pi}{3}h_2(d^2+d\cdot D+D^2)+\frac{\pi D^2}{4}\cdot h_3+$$

$$\frac{\pi}{3}h_4(D^2+D\cdot d_1+d_1^2)+\frac{\pi d_1^2}{4}\cdot h_5 \tag{2}$$

式中：h_t——出铁口中心和出铁口底面与垂直线相交的高度。

由于出铁口中心与出铁口底面之间相差很小(约差 50mm)。因此，国外高炉使用的内容积与我国使用的有效容积差距很小。

(3)美国料钟式高炉的零料线位置是取大钟开启时底面以下 915mm 处。零料线位置至风口中心线之间的容积为工作容积 V_w。

$$V_w=\frac{\pi d^2}{4}(h_1-h_f)+\frac{\pi}{3}h_2(d^2+d\cdot D+D^2)+\frac{\pi D^2}{4}\cdot h_3+$$

$$\frac{\pi}{3}h_4(D^2+D\cdot d_1+d_1^2)+\frac{\pi d_1^2}{4}\cdot h_5 \tag{3}$$

欧美也有采用高炉全容积的。高炉全容积是指零料线位置至炉底砌砖表面之间(包括死铁层)的容积 V_{total}。

$$V_{\text{total}}=\frac{\pi d^2}{4}(h_1+h_0)+\frac{\pi}{3}h_2(d^2+d\cdot D+D^2)+\frac{\pi D^2}{4}\cdot h_3+$$

$$\frac{\pi}{3}h_4(D^2+D\cdot d_1+d_1^2)+\frac{\pi d_1^2}{4}\cdot h_5 \tag{4}$$

计算死铁层容积时也以炉缸直径来计算。死铁层高度为出铁口基准点引出的水平线至炉底面。炉底面是指陶瓷垫的上表面。

2.0.4、2.0.5 高炉设备效用指标有：高炉有效容积利用系数、炉缸面积利用系数、作业率和高炉寿命。高炉有效容积利用系数、炉缸面积利用系数、作业率和高炉寿命是衡量高炉炼铁操作、管理、工艺技术水平和设备利用程度的综合技术经济指标。高炉利用系数还受企业经营、销售状况和前后工序之间平衡的支配。在合理范围内的利用系数对高炉长寿和节焦、节能、降耗有利，过度强化高炉冶炼对寿命、节焦、节能和降耗有影响。

国内、外在计算高炉的利用系数时，经常使用高炉有效容积利用系数、炉缸断面积利用系数、工作容积利用系数等。本规范采用高炉有效容积利用系数以及炉缸断面积利用系数作为衡量设备效用的主要指标。

高炉有效容积利用系数，是指高炉每立方米高炉有效容积一昼夜的生铁产量。高炉有效容积利用系数的计算式如下：

$$\text{高炉有效容积利用系数}[t/(m^3 \cdot d)] = \text{高炉日产量}(t/d)/\text{高炉有效容积}(m^3) \quad (5)$$

欧美按工作容积和规定年作业率来计算利用系数，因此他们的利用系数较高。在今后市场多变的情况下，高炉生产的弹性是很重要的。

高炉炉缸面积利用系数，是指高炉每平方米炉缸面积一昼夜的生铁产量。高炉炉缸面积利用系数的计算式如下：

$$\text{高炉炉缸面积利用系数}[t/(m^2 \cdot d)] = \text{高炉日产量}(t/d)/\text{高炉炉缸面积}(m^2) \quad (6)$$

本规范增加用炉缸断面积利用系数来作为高炉设备的效用指标。理由如下：

(1)高炉有效容积利用系数与高炉炉缸断面积利用系数的着重点不同，前者着重容积的效用率，后者着重于炉缸断面积的效用率。当使用炉缸断面积利用系数时，大小高炉的差别不明显，在对比时较为公平。

(2)由于采用薄壁高炉一代炉役中的设计内型几乎不变，不像厚壁高炉那样在操作中内型扩大。如果严格按照本规范和国际上定义的高炉容积计算，容积利用系数会有所下降，而对同样直径的高炉，无论厚壁或薄壁，其炉缸断面积利用系数没有影响。

(3)欧美及俄罗斯均广泛采用炉缸面积利用系数，为与国际接轨，增加了炉缸面积利用系数。

(4)我国一些小高炉炉容小，有效容积与炉缸面积之比 Vu/A 小，致使有效容积利用系数高。从炉缸面积利用系数来衡量，大小高炉没有明显的差别。使用炉缸面积利用系数可以避免出现小高炉有效容积利用系数高、效率高的错误观念。

图 2 为 2009 年国内高炉有效容积与炉缸面积利用系数和有效容积利用系数的统计图表。

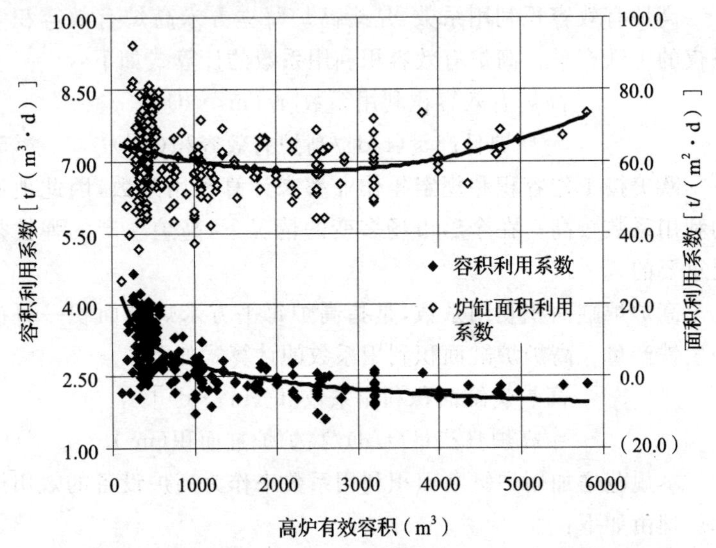

图 2 高炉有效容积与炉缸面积利用系数及有效容积利用系数之间的关系

由图可知，从炉缸面积利用系数来看，大小高炉就没有明显的差别。大型高炉的面积利用系数 η_A 稳定在 65t/(m² · d)左右；有相当一部分小型高炉的面积利用系数低于大型高炉。片面强调以高容积利用系数来衡量高炉生产效率，造成错误的强化观念，致使形成小高炉生产效率优于大型高炉的假象，不利于高炉的大型化。

有效容积利用系数和冶炼强度两个指标都是由原苏联引入我国的。冶炼强度俄罗斯早已废止；近来俄罗斯也不使用有效容积利用系数了，并在2011年的国际钢铁大会上向国际推广采用炉缸面积利用系数，认为采用有效容积利用系数来评价不同容积高炉的生产效率是不合适的。建议采用炉缸面积利用系数可以公正地反映高炉的操作效率。

2.0.6 炉腹煤气量V_{BG}是在炉缸上部风口前热风燃烧碳素产生的高温、高压的还原性煤气量。它是高炉冶炼所需能量的载体，相当于高炉炉腹处的一次煤气量。在工程上可以用下式表示：

$$V_{BG}=1.21V_{B}+2V_{O_2}+\frac{44.8W_{B}(V_{B}+V_{O_2})}{18000}+\frac{22.4P_{CR}H}{12000} \tag{7}$$

式中：V_{B}——高炉鼓风量（不含富氧）（m^3/min）；

V_{O_2}——高炉富氧量（m^3/min）；

W_{B}——鼓风湿度（g/m^3）；

P_{CR}——喷煤量（kg/h）；

H——煤粉含氢百分数（%）。

2.0.7 高炉炉腹煤气量指数χ_{BG}为单位炉缸断面积上通过的炉腹煤气量，代表了在高炉炉缸断面上一次煤气在标准状态下的空塔的流速，是高炉强化的标志性参数。因此本规范新增了炉腹煤气量指数这个指标。炉腹煤气量指数用下式表示：

$$\chi_{BG}=\frac{4V_{BG}}{\pi d^2}\text{或}\chi_{BG}=\frac{V_{BG}}{A} \tag{8}$$

式中：V_{BG}——高炉炉腹煤气量（m^3/min）；

d——炉缸直径（m）；

A——炉缸断面积（m^2）。

炉腹煤气量指数χ_{BG}是代表高炉内煤气源的流速，鼓风动能、循环区的尺寸、软熔带、死料堆和滴落带的特性决定了高炉内一次煤气的分布。

建国初期我国钢铁工业十分落后，高炉炼铁设计从无到有。随着恢复鞍钢高炉，引进了苏联20世纪50年代初的高炉炼铁设计规范，在选定高炉强化程度和确定鼓风机能力时，采用了冶炼强度。

在20世纪50年代已经发现使用这个指标是以燃烧燃料的多寡为转移，与降低焦比存在矛盾，高炉生产专家也提出了不同意见。因此，在我国的高炉炼铁设计规定、规范均没有采用冶炼强度这个指标。例如原冶金部标准《高炉炼铁工艺设计规定》YB 9057—93和国家标准《高炉炼铁工艺设计规范》GB 50427—2008均未采用冶炼强度指标。宝钢借鉴国外经验，采用高炉炉腹煤气量作为高炉强化程度的标志，已经有30年的经验，取得了良好的效果。国家标准《高炉炼铁工艺设计规范》GB 50427—2008主编单位和起草人，邀集了国内著名炼铁专家研究了评价高炉生产效率的新方法，并且已经广泛应用于高炉实际生产取得了良好效果。

采用炉腹煤气量指数 χ_{BG} 和炉缸面积利用系数 η_A 以后，以及与燃料比 FR 指标一起能够克服使用冶炼强度所带来的负面影响。

炉腹煤气量指数 χ_{BG} 能够提供炉内煤气流速的合适值，避免采用过高的冶炼强度操作，导致燃料比升高的现象；

精料是提高料柱透气性的基础，很清楚提高炉腹煤气量指数 χ_{BG} 的途径必须精料；为要提高产量必须降低吨铁炉腹煤气量 V_{BG}，提高煤气的利用率 η_{co}；在评价高炉装料制度方面不能偏重疏松料柱的作用，而要注重提高煤气利用率 η_{co}；

用降低吨铁炉腹煤气量 v_{BG} 和燃料比 FR 来提高产量必须全面提高炼铁科技水平。全面掌握高、焦、烧的技术水平和管理水平，高炉必须从粗放型管理转变到精细化、集约化管理的轨道上来；

由于能够定量地确定高炉能够接受的炉腹煤气量，在实际生产中，采用炉腹煤气量指数 χ_{BG} 和透气阻力系数 K，能够正确评估操作的合理性，避免炉况波动，并统一高炉三班操作，保持炉况稳定。

使用与炉腹煤气量指数 χ_{BG} 及配套的面积利用系数 η_A，小高炉的生产效率就不一定高。正相反小高炉必须向大高炉学习降低燃料比的经验。

运用最大炉腹煤气量指数 χ_{BG} 能实事求是地确定鼓风机的能力。避免高炉建设“大马拉小车”和资金积压、浪费的现象，把建设资金用于刀刃上。

采用炉腹煤气量指数 χ_{BG} 和面积利用系数 η_A 来确定高炉内型，能够避免仅仅采用有效容积利用系数给高炉内型设计带来的负面影响，避免有效容积与炉缸面积之比 V_u/A 过小等问题。

掌握最大炉腹煤气量指数 χ_{BG} 的规律能够正确评估富氧、高压操作、精料等等技术手段的作用。

2.0.8 欧美国家经常采用作业率，在《中国钢铁工业生产统计指标体系》中衡量其他设备的效用指标时，均采用了作业率。唯有衡量高炉设备的效用指标中没有采用作业率指标，而采用原苏联高炉炼铁设计的年工作天数。本规范使用作业率。

原苏联设计计算高炉年产量时，在年日历天数中扣除高炉大修、中修分摊到每年的时间，从而引入了年工作天数。而高炉寿命很长，如何分摊到每年，无法统计，因此各厂在设计和计算的天数也不统一，有按 355 天计算，也有按 350 天计算的，相当于作业率 96%～98%。

2.0.9～2.0.12 在高炉炼铁中燃料比、焦比、煤比有突出的作用，是衡量高炉生产水平和技术水平的重要技术经济指标，能够全面衡量炼铁过程的优劣。

本规范按照中国钢铁工业协会《中国钢铁工业生产统计指标体系》定义焦比和煤比。焦比的计算式如下：

焦比(kg/t)＝入炉干焦炭耗用量(kg)/生铁产量(t)　　(9)

煤比的计算式如下：

煤比(kg/t)＝煤粉耗用量(kg)/生铁产量(t)　　(10)

小块焦比的计算式如下：

小块焦比(kg/t)＝入炉干小块焦炭耗用量(kg)/生铁产量(t)　　(11)

燃料比为高炉冶炼每吨生铁所消耗的燃料总用量。包括入炉焦比、煤比、小块焦比等之和。燃料比的计算式如下：

燃料比(kg/t)＝焦比(kg/t)＋煤比(kg/t)＋小块焦比(kg/t)　　(12)

设计指标中全部以生产合格炼钢生铁来计算。焦比、煤比、小块焦比和燃料比均不考虑折算系数。本规范不采用综合焦比或折算焦比等不能真实反映燃料消耗量的指标并与国外的计算方法相同，以便比较。

2.0.13 用炼铁工序单位能耗来衡量生产每吨合格生铁所消耗的各种能源量，是炼铁生产十分重要的指标。炼铁工序单位能耗用标准煤来计量时，计算式如下：

炼铁工序单位能耗(kg 标准煤/t)

＝炼铁工序净耗能量(kg 标准煤)/生铁产量(t)　　(13)

在研究建设高炉的可行性和初步设计时，应当着重研究降低燃料比、降低焦比、节能、降耗及回收利用的技术和装备。要把降低炼铁工序单位能耗放在重要的地位。

2.0.15 一罐制工艺主要包括：铁路一罐制、汽车一罐制、过跨车和行车一罐制等几种方式。

2.0.16 设备能力是设计安全需要的富余能力，不可用于正常操作。

3 基本规定

3.0.1 本条规定了高炉炼铁工艺设计的指导思想和目标,体现了高炉炼铁全面贯彻科学发展观,转变增长方式。我国高炉炼铁长期生产实践总结的高产、优质、低耗、长寿的方针,应当全面贯彻执行。在钢铁工业新的发展时期,将“高产”改为“高效”更为全面,并增加了环境保护,成为“十字”方针。“高效”应为高效利用资源,高效利用能源,高效利用设备。高效利用资源,高效利用能源主要是推行“减量化”生产,降低燃料比和焦比,提高炉顶煤气利用率,以及资源综合利用。高效利用设备应包括高炉能够获得高的利用系数、高的作业率,以及提高高炉效率、稳定的运行时间;设计应合理地选取设备的能力,特别是主要设备的能力,如鼓风机、热风炉、煤气净化设施及炉顶余压发电装置等设备均在高效工况下运行,只留适当的富余,避免能力过大以致长期在低效率区域内运行。

设计必须全面贯彻以精料为基础,高效、低耗、优质、长寿、环保的炼铁方针,认真研究优化操作指标。

2013 年我国生铁的产量达到了 7.0897 亿 t,占世界生铁产量的 60.9%。截至 2013 年底,我国已有高炉炼铁能力近 8.5 亿 t,有较大富裕的生产能力。新建高炉必须具有优越的条件,投产后必须具有较强的竞争力,能迅速达到高效、低耗、优质、低成本的生产指标,具有淘汰落后生产能力的实力,依靠市场经济规律,达到产业升级的目标。

我国钢铁工业在生产数量规模上已居世界首位,但在产品品种质量、技术装备水平、资源消耗、环境保护等方面与先进国家仍有相当差距。今后我们的努力方向就是依靠技术进步、技术创新缩小差距,赶超先进。

3.0.2 本规范采用1000m³、2000m³、3000m³、4000m³、5000m³炉容级别来进行管理。每个级别代表一个高炉有效容积范围。例如,1000m³级代表有效容积从1200m³至1999m³范围的高炉;2000m³级代表有效容积从2000m³至2999m³范围的高炉;3000m³级代表有效容积从3000m³至3999m³范围的高炉;4000m³级代表有效容积从4000m³至4999m³范围的高炉;5000m³级代表有效容积5000m³以上范围的高炉。

据不完全统计,我国2013年底有1000m³以上的高炉510余座,其构成如表1。

表1 中国高炉构成

炉容级别(m³)	1000	2000	3000	4000	5000	总数
高炉座数	354	106	25	18	7	510
占总数	69.4%	20.8%	4.9%	3.5%	1.4%	100%
高炉容积(m³)	441772	259485	80330	78125	37100	896812
占总数	49.3%	28.9%	9.0%	8.7%	4.1%	100%
平均炉容(m³/座)	1248	2448	3213	4340	5300	1758

大于1000m³高炉的平均炉容仍然是偏小的,高炉的平均炉容还不到1800m³。有效容积3000m³以上高炉的座数约占9.8%。

由于我国高炉大型化的发展迅猛,过去高炉划分档次的概念已经完全不能适用,而且建立新的高炉档次的概念又会很快过时,故本规范不作大、中、小高炉档次的规定。

3.0.3 原料、燃料质量水平是高炉炼铁工艺设计的先决条件,精料对高炉生产的影响起着至关重要的作用。大型高炉更以高质量的原料、燃料为基础,其质量和供应条件必须落实,应严格禁止建设原料、燃料条件不落实的高炉。对原料、燃料质量差,达不到规定要求而拟建设高炉者,必须进行技术经济专题论证,并请主管部门专题审批确认。

3.0.4 本条规定的目的是促使高炉大型化、高效化,有利于管理、物料运输和少占土地。

3.0.5 本条规定了高阶段设计应进行多方案比较，严禁只搞单一方案。在比较优缺点时要客观、实事求是。在方案比较中，应尽量推荐使用国内自主技术和设备的方案。经过全面综合分析比较后，提出推荐方案报请上级机关核准或备案。

4 原料燃料和技术指标

4.1 原料燃料

4.1.1 高炉炼铁需大量利用矿产资源，利用国内和国外的矿产资源是重要的国家政策。按照《钢铁产业发展政策》要求："内陆地区钢铁企业应结合本地市场和矿石资源状况，以矿定产，……以可持续生产为主要考虑因素"。因此，在高炉炼铁工程规划阶段就必须落实矿石质量和供应能力。

沿海地区企业所需的铁矿石可尽量依靠海外市场解决。国外矿产资源丰富、品位高，可以提高高炉的操作指标，在价格合适的条件下，作为补充国内资源的不足，应予以利用。国内资源和国外资源的性能不同，要尽量利用和发挥两种资源各自的优势。

近年来，铁矿石的进口情况见表2。

表2 近年来生铁产量和铁矿石进口情况(亿t)

年份	2008	2009	2010	2011	2012	2013
生铁产量	4.707	5.437	5.860	6.454	6.579	7.089
进口铁矿石量	4.437	6.278	6.140	6.867	7.454	8.131

4.1.2 根据我国富矿少、贫矿多的资源现状，铁矿石的原矿品位平均仅在26%～30%左右，必须细磨、精选才能得到高品位的铁精矿，适宜生产球团矿，并且生产球团矿的能耗较烧结矿低(2013年烧结平均工序能耗为49.1kg标准煤/t，球团工序能耗为28.2kg标准煤/t)，有利于炼铁系统节能。故入炉原料应以烧结矿和球团矿为主。为了提高烧结矿的强度，应采用高碱度烧结矿，搭配酸性球团矿或部分块矿，使高炉不加熔剂。

《钢铁产业发展政策》规定："企业应积极采用精料入炉、富氧喷吹、大型高炉……先进工艺技术和装备。”精料是基础。

提高入炉铁矿石含铁品位和熟料率是精料的主要内容，精料是改善高炉操作指标的重要保证。近年来，随着国外矿使用的增多，以及国内选矿技术的提高，入炉矿石含铁品位不断提高。但是高品位的优质含铁原料越来越少，提高品位不仅增加成本，而且难度越来越大，2011 年入炉含铁原料品位见表 3。结合资源状况和高炉生产的实际情况，本次修编适当调整了入炉品位的要求。

表 3 2011 年度 1000m³ 以上高炉入炉品位

炉容级别(m³)	4000	3000	2000	1000*
TFe	58.79%	58.00%	57.45%	56.15%

注：* 表示已扣除 W 厂使用的特殊矿石。

如果个别国内铁矿石选矿后仍达不到规定品位，应经过专题论证，企业的经济效益合适，方可降低入炉品位。

4.1.3 烧结矿是高炉使用最多的人造铁矿。2012 年我国各厂烧结矿质量指标见表 4～表 6。

表 4 拥有 3000m³ 以上高炉的厂家烧结矿指标

厂家	R 厂	O 厂	N 厂
转鼓指数	75.18%	79.38%～80.16%	79.83%
FeO	7.79%	8.07%～8.59%	7.88%

表 5 拥有 2000m³～3000m³ 高炉的厂家烧结矿指标

厂家	K 厂	M 厂二铁	J 厂北铁	H 厂二铁	NG 厂
FeO	9.2%	8.77%	7.9%～8.64%	8.93%～9.1%	8.17%
转鼓指数	83.04%	74.26%	78.42%～79.11%	80.03%～81.46%	77.797%
厂家	Sa 厂	XY 厂	P 厂	T 厂	AC 厂
FeO	8.05%～8.27%	7.56%～8.52%	9.17%～10.19%	8.75%～9.74%	5.46%
转鼓指数	75.02%～80.14%	75.06%～76.31%	72.49%～74.37%	75.88%～83.58%	78.75%

表 6　拥有 $1000m^3$～$2000m^3$ 高炉的厂家烧结矿指标

厂家	D厂	E厂	B厂	F厂	C厂	G厂
FeO	8.09%	8.31%～8.67%	7.82%～8.42%	9.21%	8.48%～8.84%	7%～9%
转鼓指数	77.51%	79.87%～81.15%	78.3%～79.2%	82.95%	77.88%～78.04%	76.3%～77.5%
厂家	Z厂	L厂二	W厂	V厂	I厂	Y厂
FeO	8.5%～8.7%	8.65%～9.21%	8.04%	9.14%	7.96%～8.15%	8.85%
转鼓指数	75.9%～76.4%	79.3%～78.4%	73.4%	78.93%	77.03%～78.66%	77.38%～79.37%

原料进入烧结之前均应经过混匀料场混匀。均应保证烧结矿的铁分、碱度和 FeO 的波动值。考虑到不同级别高炉的原料场装备水平的差异，不同炉容的高炉达到要求波动值的达标率也不同。炉容小的高炉也应提高铁分和碱度波动的达标率，减少成分波动对高炉的影响。规范是对原料的最低要求，是保证高炉稳定顺行的基本条件，在高炉设计时，可根据实际高炉的指标要求和原燃料条件，适当提高要求，以保证高炉获得更好的操作指标。

烧结矿碱度是重要的冶金性能指标，对炉料结构和高炉炉况有较大的影响，在设计文件中应根据炉料结构，对烧结矿的碱度作出明确规定。烧结矿碱度的确定应避开粉化区间，因此烧结矿碱度宜大于 1.8。

4.1.4　N厂、K厂、O厂、R厂等厂都建设有大型球团厂，球团矿的使用比例将不断提高。2012 年国内主要球团厂球团矿的质量见表 7。

表 7　国内主要球团厂球团矿的质量

厂家	O厂	K厂	P厂	JT厂	M厂	J厂
T_{Fe}	65.44%	65.25%	64.3%	65.65%	62.02%	62.18%
成品球抗压强度(N/个)	2769	2683	—	2946	2913	2300
转鼓指数	93.76%	—	90.5%	96.75%	92.09%	96.09%
厂家	T厂	N厂	SG厂	L厂	V厂	G厂
T_{fe}	58.57%	64.23%	63.79%	61.96%	62.52%	62.53%
成品球抗压强度(N/个)	2342	2491	2691	3014	2800	2300
转鼓指数	96.25%	—	95.71%	95.82%	94.18%	91.2%

进口球团矿有酸性和自熔性两种，由合同规定看，全铁品位都在64%以上，常温耐压强度在2000～2450，还原后耐压强度294～300，膨胀率16%～20%。在设计文件中应根据炉料结构和炉渣碱度的要求明确作出对球团矿的碱度规定。

4.1.5　国内高品位入炉块矿数量较少，国外入炉块矿品位有下降趋势。入炉块矿宜采用还原性能好、热爆裂性低的赤铁矿。

4.1.6　在进入高炉车间之前必须进行筛分、整粒，粒度和含粉率合格的原料、燃料方可进入高炉矿槽和焦槽。烧结矿应在烧结厂运往高炉之前进行整粒处理。

4.1.7　高炉大型化、高喷煤比，对焦炭质量提出了更高和更全面的要求。由于炼焦技术的进步，通过改善炼焦工艺能够提高焦炭的质量。各级高炉焦炭质量的统计数据见表8～表11。

表 8　4000m³级以上高炉的焦炭质量指标

年　份	2011	2012	2013
A_h	12.34%	12.19%	12.09%
S	0.69%	0.72%	0.69%
M_{40}	88.8%	88.96%	87.1%
M_{10}	5.95%	5.9%	5.8%

表 9　3000m³ 级高炉的焦炭质量指标

年　份	2011	2012	2013
A_h	12.64%	12.42%	12.12%
S	0.78%	0.84%	0.78%
M_{40}	87.14%	87.54%	84.95%
M_{10}	6.26%	6.3%	5.99%

表 10　2000m³ 级高炉的焦炭质量指标

年　份	2011	2012	2013
A_h	12.6%	12.54%	12.25%
S	0.74%	0.72%	0.75%
M_{40}	86.23%	85.39%	83.94%
M_{10}	6.49%	6.59%	6.62%

表 11　1000m³ 级高炉的焦炭质量指标

年　份	2011	2012	2013
A_h	12.37%	12.68%	12.71%
S	0.71%	0.79%	0.83%
M_{40}	85.43%	85.98%	85.07%
M_{10}	6.64%	6.83%	6.67%

对焦炭强度的要求方面，各厂增添了热强度性能指标。M 厂 1 号高炉着力改善焦炭质量，特别是焦炭的高温性能。焦炭高温性能改善的同时，降低焦比，增加负荷的情况见表 12。

表 12　M 厂焦炭高温性能及焦炭负荷的情况

年　份	2013	2012	2011
CRI	22.86%	22.76%	24.11%
CSR	69.87%	69.99%	69.24%
O/C	4.51	4.41	4.31
灰分	12.43%	12.64%	12.9%
硫分	0.73%	0.68%	0.63%

目前捣固焦的指标体系还很不完善，其评价体系还存在较多需要商榷的地方，暂时还不便给出一套比较合理的捣固焦指标，因此本规范暂时未将捣固焦的指标纳入其中。

4.1.8 高炉喷吹煤粉是节约资源、降低成本、实现持续发展的重要技术。在高炉的燃料消耗中，随着喷吹用煤比重增大，喷吹用煤的质量对冶炼过程的影响也将增大，因此提出了较高的要求。

4.1.9 硫、磷等杂质影响生铁的质量；钾、钠、锌等杂质加剧了焦炭的破损和炉底、炉体砖衬侵蚀，既影响生产，又影响高炉寿命，有必要加以控制。

1998 年 F 厂 1 号高炉第三代炉体进行破损调查，发现有害元素金属锌、红锌矿、锌尖晶石，除了在沉积碳、耐火砖边缘及裂缝中富集外，几乎所有的裂隙中都有 ZnO 充填。F 厂高炉中上部红锌矿富集的试样中 ZnO 高达 46.57%～88.3%，炉缸试样中 ZnO 含量达 42%。炉内有大量钾霞石形成，还有碳酸钾和硅酸钾存在，表明碱金属也是炉衬破损的主要原因之一。因此提出要减少入炉碱金属负荷，提高炉渣排碱能力，减少原料、燃料碱金属含量，控制含锌炉料的使用。

1999 年 N 厂 1 号高炉第二代，入炉原料含碱金属及锌负荷较高，分别为 7kg/t 和 0.45kg/t，碱金属和锌的危害较突出，该高炉中修后只使用了不到 4 年。

S 厂 8 号 1050m^3 高炉 2003 年 5 月 2 日投产，生产一年多风口大套开裂，冷却设备损坏，其原因之一是碱金属负荷高，2003 年为 4.18kg/t，2004 年高达 7.89kg/t。

T 厂 6 号 2000m^3 高炉风口普遍发生严重上翘，主要原因是入炉有害元素量过大。逐年有害元素的入炉量的变化见表 13。高炉所有 26 个风口 2002 年上翘幅度为 2.4°～8.26°，平均 5.79°；由于控制了有害元素 2003 年情况有所好转，2004 年的上翘幅度为 0°～3.78°，平均为 1.31°。控制入炉有害元素起到了一定的作用。

表 13　T 厂 6 号高炉历年有害元素的变化

年　　份	碱负荷(kg/t)	铅负荷(kg/t)	锌负荷(kg/t)
1999	4.75	0.328	0.831
2000	4.58	0.345	0.748
2001	4.79	0.339	0.786
2002	4.60	0.251	0.835
2003	4.41	0.176	0.885
2004	4.36	0.156	0.764

R 厂入炉碱金属控制在 2.0kg/t，日本、法国和比利时西德马厂为 3.0kg/t。新日铁锌的控制指标为 0.15kg/t，奥钢联为 0.11kg/t。一般铅控制在 0.15kg/t。国外高炉的入炉的碱金属量和锌量见图 3 和图 4。

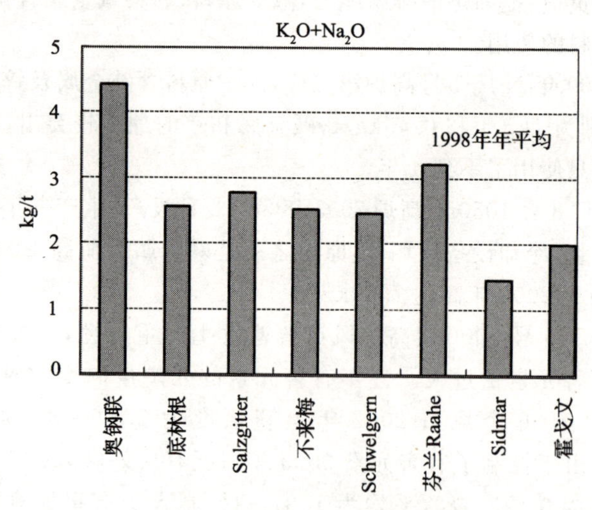

图 3　国外高炉入炉的碱金属量数据

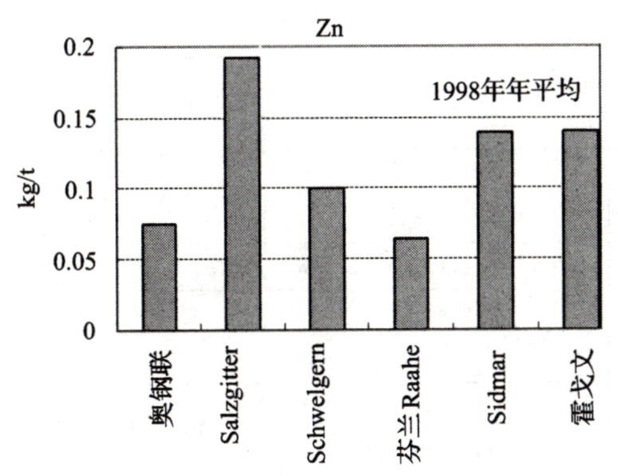

图4　国外高炉入炉的锌量数据

日本君津等厂烧结机曾经使用钾、钠高的原料，发生烧结机主电除尘效率大幅度下降等负面影响。

4.2　高炉生产技术指标

4.2.1　高炉设计选用的年平均有效容积利用系数、炉缸面积利用系数、燃料比、焦比、炉腹煤气量指数等主要设计指标，应根据原料、燃料条件、风温、富氧率、高炉装备水平等综合因素，并参照条件基本相同，而操作较好的高炉的生产指标来选取。

(1)利用系数、燃料比和焦比。

根据中国金属学会和炼铁信息网的统计数据，按高炉炉容级别列出了近年来各高炉的利用系数、焦比和燃料比的数据，见表14～表17。

表14　4000m³级高炉年平均利用系数、燃料比和焦比(含小块焦)

年份 厂名炉号	高炉容积(m³)	操作指标	2008	2009	2010	2011	2012
R厂3号高炉	4350	利用系数(t/m³·d)	2.392	2.288	2.432	2.468	2.416
		焦比(kg/t)	299	283	283	288	286
		燃料比(kg/t)	491	486	490	491	492

续表 14

厂名炉号 \ 年份	高炉容积(m^3)	操作指标	2008	2009	2010	2011	2012
R 厂 2 号高炉	4706	利用系数($t/m^3 \cdot d$)	2.275	2.171	2.062	2.071	2.111
		焦比(kg/t)	286	273	285	302	288
		燃料比(kg/t)	498	490	494	488	484
R 厂 4 号高炉	4747	利用系数($t/m^3 \cdot d$)	2.201	2.113	2.025	2.05	2.135
		焦比(kg/t)	292	276	287	293	280
		燃料比(kg/t)	499	489	492	488	484

表 15　3000m^3级高炉年平均利用系数、燃料比和焦比

厂名炉号 \ 年份	高炉容积(m^3)	操作指标	2008	2009	2010	2011	2012
N 厂 5 号高炉	3200	利用系数($t/m^3 \cdot d$)	—	2.62	2.46	2.69	2.48
		焦比(kg/t)	—	352	387	358	367
		燃料比(kg/t)	—	529	559	529	542
N 厂 6 号高炉	3200	利用系数($t/m^3 \cdot d$)	2.65	2.36	2.526	2.53	2.52
		焦比(kg/t)	357	364	376	365	358
		燃料比(kg/t)	520	536	545	537	523
O 厂新 1 号高炉	3200	利用系数($t/m^3 \cdot d$)	2.50	—	2.38	2.39	2.345
		焦比(kg/t)	375	—	358	358	363
		燃料比(kg/t)	537	—	520	521	507

表 16　2000m³级高炉年平均利用系数、燃料比和焦比

厂名炉号 \ 年份	高炉容积 (m^3)	操作指标	2008	2009	2010	2011	2012
O厂10号高炉	2580	利用系数 ($t/m^3\cdot d$)	1.91	—	—	1.96	1.50
		焦比(kg/t)	416	—	—	402	362
		燃料比 (kg/t)	548	—	—	563	512
O厂7号高炉	2557	利用系数 ($t/m^3\cdot d$)	2.2	—	2.11	2.16	1.98
		焦比(kg/t)	405	—	386	392	412
		燃料比 (kg/t)	546	—	546	555	552
K厂1号高炉	2536	利用系数 ($t/m^3\cdot d$)	2.43	2.43	2.33	—	—
		焦比(含小块焦)(kg/t)	365	338	360	—	—
		燃料比 (kg/t)	501	490	505	—	—
K厂3号高炉	2536	利用系数 ($t/m^3\cdot d$)	2.34	2.33	2.27	—	—
		焦比(含小块焦)(kg/t)	386	363	376	—	—
		燃料比 (kg/t)	500	493	499	—	—
N厂4号高炉	2516	利用系数 ($t/m^3\cdot d$)	2.58	2.47	2.44	2.43	2.14
		焦比(kg/t)	373	373	389	379	379
		燃料比 (kg/t)	528	540	567	553	543

续表 16

厂名炉号 \ 年份	高炉容积 (m^3)	操作指标	2008	2009	2010	2011	2012
A厂2号炉	2500	利用系数 ($t/m^3 \cdot d$)	2.27	—	2.39	2.29	2.19
		焦比(kg/t)	447	—	356	362	363
		燃料比 (kg/t)	541	—	510	519	517
M厂四铁1号炉	2500	利用系数 ($t/m^3 \cdot d$)	2.30	2.27	2.32	2.49	2.43
		焦比(kg/t)	380	366	368	366	366
		燃料比 (kg/t)	516	521	520	510	519
N厂1号高炉	2200	利用系数 ($t/m^3 \cdot d$)	2.35	2.18	2.10	2.43	2.04
		焦比(kg/t)	389	462	445	379	375
		燃料比 (kg/t)	552	535	561	553	544
U厂7号高炉	2000	利用系数 ($t/m^3 \cdot d$)	2.20	—	2.35	2.26	2.15
		焦比(kg/t)	419	—	394	392	380
		燃料比 (kg/t)	557	—	546	540	538

表 17　1000m^3 级高炉年平均利用系数、燃料比和焦比

厂名炉号 \ 年份	高炉容积 (m^3)	操作指标	2008	2009	2010	2011	2012
F厂1号高炉	1800	利用系数 ($t/m^3 \cdot d$)	2.02	2.18	2.15	2.12	—
		焦比(含小块焦)(kg/t)	415	401	411	430	—
		燃料比 (kg/t)	574	551	564	563	—

续表 17

厂名炉号＼年份	高炉容积(m^3)	操作指标	2008	2009	2010	2011	2012
B厂4号高炉	1650	利用系数($t/m^3 \cdot d$)	2.15	2.33	2.07	2.63	2.28
		焦比(kg/t)	383	348	370	334	357
		燃料比(kg/t)	531	515	510	515	529
B厂3号高炉	1800	利用系数($t/m^3 \cdot d$)	2.52	2.61	2.69	2.57	2.40
		焦比(kg/t)	331	331	335	344	354
		燃料比(kg/t)	514	508	510	520	534
AD厂3号高炉	1750	利用系数($t/m^3 \cdot d$)	2.56	2.33	2.31	2.30	2.31
		焦比(kg/t)	395	394	392	416	404
		燃料比(kg/t)	553	558	559	591	562
P厂5号高炉	1500	利用系数($t/m^3 \cdot d$)	2.39	—	2.58	2.58	2.47
		焦比(kg/t)	459	—	456	473	470
		燃料比(kg/t)	590	—	599	618	629
Y厂3号高炉	1350	利用系数($t/m^3 \cdot d$)	2.57	2.83	2.85	2.64	2.91
		焦比(kg/t)	435	403	384	372	359
		燃料比(kg/t)	548	534	542	532	535
L厂3号高炉	1350	利用系数($t/m^3 \cdot d$)	1.79	—	2.09	2.24	2.18
		焦比(kg/t)	483	—	412	426	522
		燃料比(kg/t)	589	—	566	569	575

续表 17

厂名炉号 \ 年份	高炉容积 (m^3)	操作指标	2008	2009	2010	2011	2012
Y厂2号高炉	1200	利用系数 ($t/m^3 \cdot d$)	1.87	1.86	1.62	1.7	1.57
		焦比(kg/t)	446	410	414	427	391
		燃料比 (kg/t)	568	549	565	560	550
S厂6号高炉	1060	利用系数 ($t/m^3 \cdot d$)	1.91	2.69	2.74	2.10	—
		焦比(kg/t)	435	402	393	416	—
		燃料比 (kg/t)	559	522	521	544	—
AK厂5号高炉	1050	利用系数 ($t/m^3 \cdot d$)	2.96	2.97	2.88	3.08	2.95
		焦比(kg/t)	417	396	397	400	397
		燃料比 (kg/t)	549	531	537	537	550
M厂3号高炉	1000	利用系数 ($t/m^3 \cdot d$)	2.44	2.13	2.22	2.45	2.17
		焦比(kg/t)	390	458	402	399	423
		燃料比 (kg/t)	523	584	543	545	573

在对表中的数据进行分析后，得知 1000m^3 级和 2000m^3 高炉的利用系数参差不齐(生产条件不同，原燃料质量差距大)，不见得能与 3000m^3 级和 4000m^3 级高炉媲美。

我国的能源、矿产资源和环境状况对经济发展已构成严重的制约。高炉炼铁应把节约资源和能源作为基点，发展循环经济，建设资源节约型，环境友好型的高炉。切实走新型炼铁工业的发展道路，坚持节约发展、清洁发展、安全发展，实现可持续发展。

制约我国高炉指标改善的主要因素是高炉燃料比高，大型高炉的优势在于燃料比较低。各级高炉的燃料比统计见图 5。

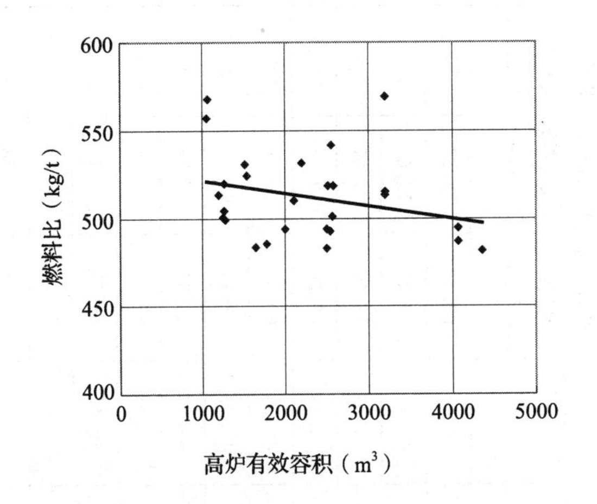

图 5　高炉炉容与燃料比的统计数据

总体上，我国炼铁技术已经进入世界先进行列，企业之间技术水平差距大，大多数企业在高炉寿命、能耗指标、燃料比，以及设备效用率等方面，仍与世界先进水平存在一定的差距。我国是能源和焦煤缺乏的国家，在降低燃料比、焦比、能耗指标方面必须引起炼铁界的高度重视。重视优化能耗指标应当超过对利用系数的追求。

(2)炉腹煤气量指数与燃料比和利用系数。

由于提高炉腹煤气量是强化高炉冶炼的手段之一，因此必须说明它具有两面性：吨铁炉腹煤气量与燃料比、能源介质的消耗密切相关，为了获得良好的高炉能耗指标必须减少吨铁炉腹煤气量；而提高炉腹煤气量指数将提高炉内煤气的流速和阻力损失。过分提高炉内煤气流速将影响高炉顺行，并招致煤气在炉内的停留时间过短，使得炉顶煤气利用率下降、燃料比上升。

为了研究合适的最大炉腹煤气量指数和日常操作采用的炉腹煤气量指数，规范编制组广泛征集一些高炉操作较好时期，有关高炉强化的数据进行了分析。表 18 为炉腹煤气量指数与其他高炉操作指标的关系。

表 18　某些高炉的主要指标

代号	高炉有效容积（m^3）	调研的起至日期		调研期间的平均值						调研期间的日最高炉腹煤气量指数（m/min）	日平均数据回归曲线的燃料比（kg/t）
		起	止	容积利用系数［t/（m^3·d）］	面积利用系数［t/（m^2·d）］	燃料比（kg/t）	富氧率（%）	煤气利用率（%）	炉腹煤气量指数（m/min）		
E1	1000	2013.7.1	2013.12.31	2.284	52.47	543.2	0	46.16	60.40	72.89	536.1
X3	1080	2013.10.1	2014.3.31	2.21	47.48	550.9	1.17	41.76	57.13	72.67	549.0
T1-2	2000	2012.1.1	2012.12.31	2.302	56.34	535.0	2.73	44.26	68.11	71.37	530.8
T1-3	2000	2013.1.1	2013.12.31	2.294	56.15	535.4	2.85	43.18	66.60	69.18	531.8
T2-2	2000	2012.1.1	2012.12.31	2.277	55.73	539.6	2.65	42.54	69.95	69.18	537.6
T2-3	2000	2013.1.1	2013.10.31	2.277	55.73	534.6	2.68	42.73	68.74	69.18	531.7
G	2310	2010.1.1	2010.10.31	2.224	58.42	527.3	3.42	43.26	65.45	70.54	521.3
N2	2500	2014.1.1	2014.6.30	2.441	61.95	507.3	2.14	50.15	62.82	65.41	504.6
N1	2500	2014.1.1	2014.6.30	2.333	59.21	510.9	2.14	49.47	63.15	66.15	505.8
X1	2580	2013.10.1	2014.3.31	2.234	57.47	542.0	1.70	43.82	63.01	68.25	538.2
X2	2580	2013.10.1	2014.3.31	2.55	65.60	535.1	2.87	44.14	62.12	69.78	532.1
C1	2600	2014.1.1	2014.6.30	2.137	58.47	520.0	1.50	47.39	66.73	69.91	508.7
Q1	2650	2013.1.1	2013.12.31	2.32	59.19	509.8	1.20	48.84	58.94	63.02	496.1

续表 18

代号	高炉有效容积（m^3）	调研的起至日期		调研期间的平均值						调研期间的日最高炉腹煤气量指数（m/min）	日平均数据回归曲线的燃料比（kg/t）
		起	止	容积利用系数[t/(m^3·d)]	面积利用系数[t/(m^2·d)]	燃料比（kg/t）	富氧率（%）	煤气利用率（%）	炉腹煤气量指数（m/min）		
Q2	2650	2013.1.1	2013.12.31	2.31	58.94	507.1	2.15	49.24	59.87	63.02	500.3
C2	2850	2014.1.1	2014.6.30	2.338	67.63	529.1	3.31	47.35	68.12	71.15	526.8
D1	2850	2014.1.1	2014.6.30	2.333	67.49	528.5	3.97	47.05	64.62	66.53	524.7
T3-2	3200	2012.1.1	2012.9.30	2.195	58.16	532.0	3.23	42.86	67.16	71.01	530.1
T3-3	3200	2013.1.1	2013.12.31	1.831	48.52	570.7	1.80	40.17	65.50	68.62	—
N4	3430	2013.1.1	2013.12.31	2.248	63.84	489.5	2.44	—	63.49	66.56	482.9
H1	3450	2013.1.1	2014.6.30	2.201	61.19	490.1	—	49.69	61.18	64.24	484.5
H2	3450	2013.1.1	2014.6.30	2.387	66.05	495.2	—	50.32	62.60	65.53	493.5
Q3	4000	2013.1.1	2013.12.31	2.317	64.76	517.4	5.20	48.37	62.80	66.46	516.0
M1	4032	2013.1.1	2013.12.31	2.152	60.63	513.2	2.79	48.12	62.75	65.99	510.6
M2	4032	2013.1.1	2013.12.31	2.185	61.55	508.6	2.71	47.92	63.73	67.26	506.5
N5	4148	2013.1.1	2014.7.31	2.140	63.90	492.0	2.51	—	62.23	67.18	490.6

根据表 18 中的高炉操作指标做成炉腹煤气量指数与燃料比的关系图，见图 6。

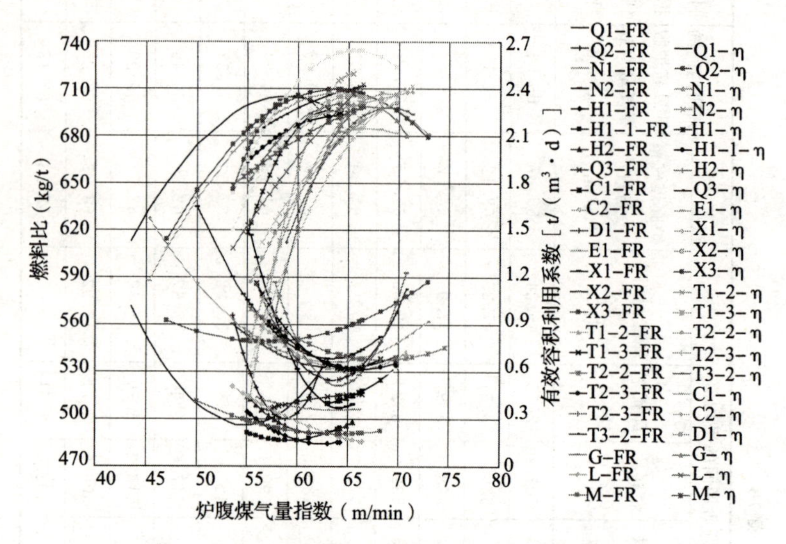

图 6 各高炉炉腹煤气量指数与燃料比和有效容积利用系数的回归曲线汇总图

由表 18 和图 6 可知：

（1）大部分操作指标较好的高炉日最大炉腹煤气量指数在 68m/min 以下，特别是大型高炉的炉腹煤气量指数基本上在 66m/min 以下。炉腹煤气量指数较高的高炉燃料比也较高。

（2）高炉的炉腹煤气量指数与燃料比均呈“U”字形的关系，存在最低点。大多数高炉经常操作点是处于“U”字形右侧的上升段上，说明高炉还有降低燃料比的潜力。

（3）燃料比回归曲线的最低点在 500kg/t 以下的高炉平均炉腹煤气量指数均在 60m/min 左右。回归的燃料比最低点随着炉腹煤气量指数而升高时，最低燃料比的数值也上升，而不是下降。说明控制炉腹煤气量指数对降低燃料比有利，对高炉操作也有重要意义。

（4）高炉利用系数呈相反的趋势，也存在最高点。而且较高的炉腹煤气量指数操作的高炉数据在回归时，不得不删除较多的因炉况波动使得容积利用系数低于 1.7t/(m³ · d)，或者燃料比偶然上升 30kg/t 的日平均数据。例如，有的高炉一段时期炉腹煤气量过高操作数据波动太大，而无法作出回归曲线的情况，见图 7(d)。

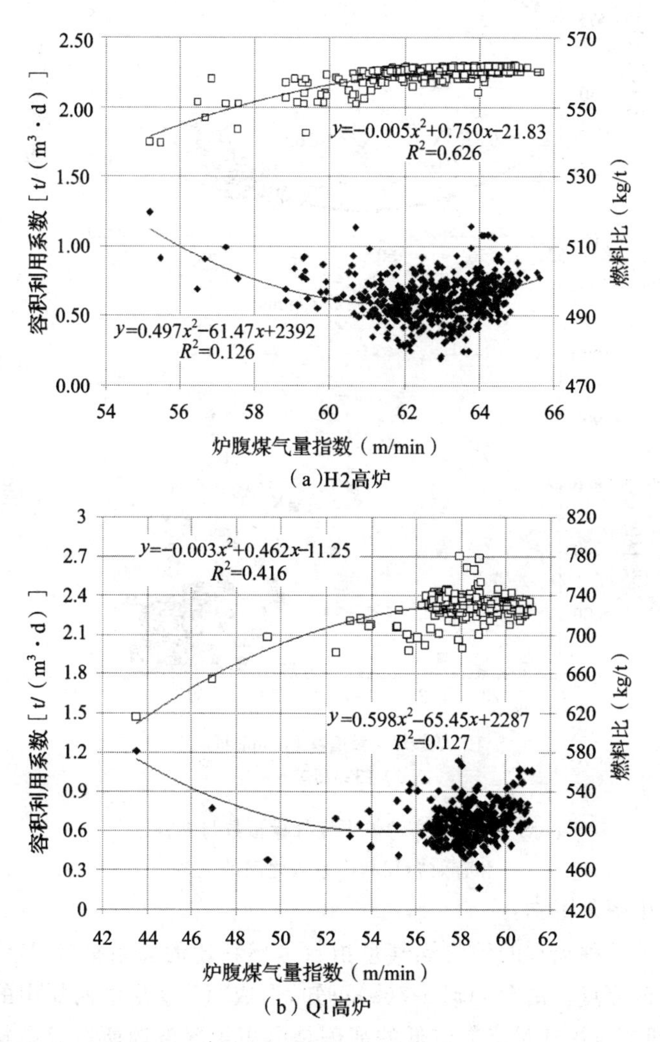

（a）H2高炉

（b）Q1高炉

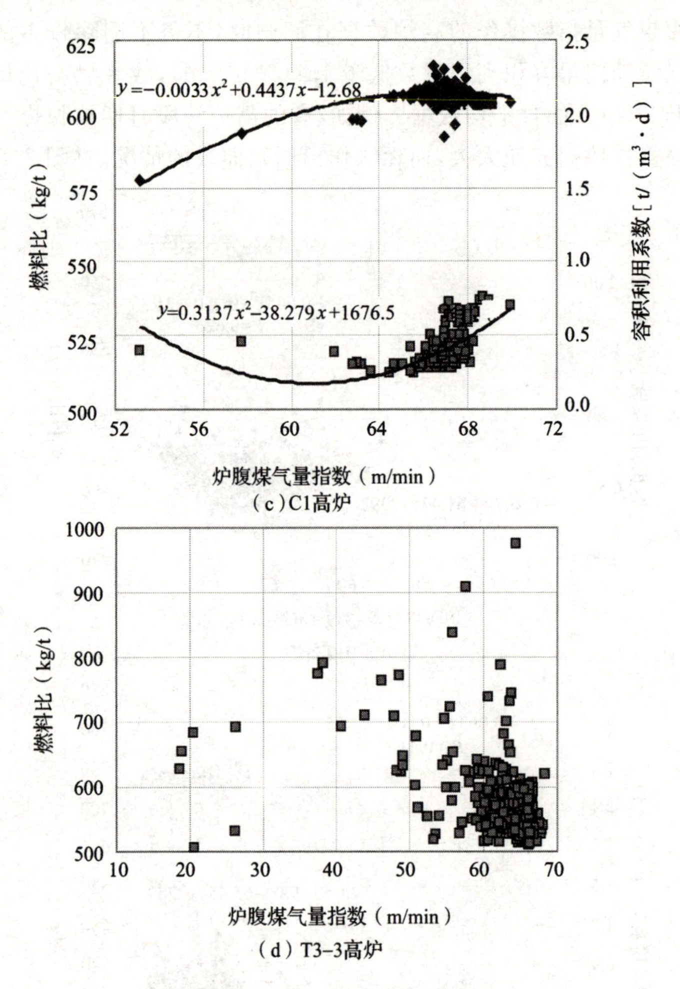

图 7　几种高炉炉腹煤气量指数与燃料比和有效容积利用系数之间的关系

由图 7 可知：

前两种类型的炉腹煤气量指数与燃料比的关系呈“U”字形，存在最低点。由图 7(a)～7(b)可知，形成“U”字形的两翼中的左翼，即炉腹煤气量指数较低的那侧是由于炉况波动所造成燃料比的上升，因此左翼有其偶然性。

形成“U”字形的两翼中的右翼，即炉腹煤气量指数较高的那侧是由于炉内煤气流速上升，含铁原料与煤气的接触条件变差引起燃料比的上升。

从图 7(a)可知，第一种，炉腹煤气量指数控制的范围比较合理，炉况波动的概率低、炉况稳定，利用系数的波动范围小、燃料比低；即使达到最高炉腹煤气量指数时燃料比的上升也不多。这也证明炉腹煤气量不宜高于 66m/min。这种操作方式应该是当前降低燃料比、降低能源消耗、降低成本的主流。

由图 7(b)可知，第二种，炉腹煤气量指数较高，大多数时间在高炉腹煤气量指数条件下操作，炉况容易波动，燃料比较高。所举实例是较早时期 G 高炉的数据，目的有两个：一是那时刚采用炉腹煤气量指数控制高炉操作，应用得还不够熟练，当时是由过去盲目追求高冶炼强度转变为重视降低燃料比和成本的过渡阶段。二是那时的原料质量比较高。可以说明忽视控制炉腹煤气量指数也是引起燃料比较高的原因之一。

由图 7(c)可知，第三种情况企图高强度冶炼，其结果炉况波动，高炉不接受风量，经常因炉况不顺加空焦、燃料比升高。采用这种操作方式的高炉已经很少。

因此我们推荐采用第一种类型的操作，控制炉腹煤气量指数，控制炉内煤气流速进行操作。

我们将各厂提供的数据再次进行了整理，对炉腹煤气量指数与燃料比等日平均数据进行了回归，得到图 8。回归的结果可以分为三种类型：

第一种类型合理控制炉腹煤气量，见表 18 中的 N1、N2、Q1、Q2、N4、H1、H2、Q3、M1、M2 和 N5 高炉，占一半以上高炉的燃料比较低达到本规范表 4.2.1 的要求，目前用这种类型操作的高炉越来越多，以 H1 号 3200m^3高炉为代表。

第二种类型炉腹煤气量偏高，这种类型的高炉比较多约占表

18 中高炉数目的一半，并且在 2000m³ 级高炉多一些，有些高炉的燃料比超过了规范表 4.3.1 的规定，以 C1 高炉为代表。

第三种类型，过去用冶炼强度来衡量高炉的强化程度时，现在已经很少见到了。目前大多数高炉已经较好地控制了炉腹煤气量指数，以 T3－3 高炉为代表。

由表 18 的数据来看，除了 2000m³ 级高炉的强化程度变化比较大以外，其他级别的高炉绝大部分日平均炉腹煤气量都控制在 60m/min 左右。由于 2000m³ 级高炉的气体动力学条件有利，并且受小型高炉影响比较大，许多厂级领导要求向小型高炉看齐。因此炉腹煤气量指数的高低参差不齐，因此有必要对 2000m³ 级高炉炉腹煤气量指数与燃料比的关系进行分析，从中寻找一些规律。图 8 为 2000m³ 级高炉炉腹煤气量指数与燃料比的关系。回归结果表明所有高炉的炉腹煤气量指数与燃料比的关系都呈“U”字形的规律。

为了使炉腹煤气量指数与燃料比和利用系数的关系更明显，在图 8 中将各高炉“U”字形回归曲线最低燃料比的点用方框红点表示；圆形绿色为各高炉操作期间日平均燃料比的位置；右上角的黑色圆点为高炉操作期间的日平均有效容积利用系数。

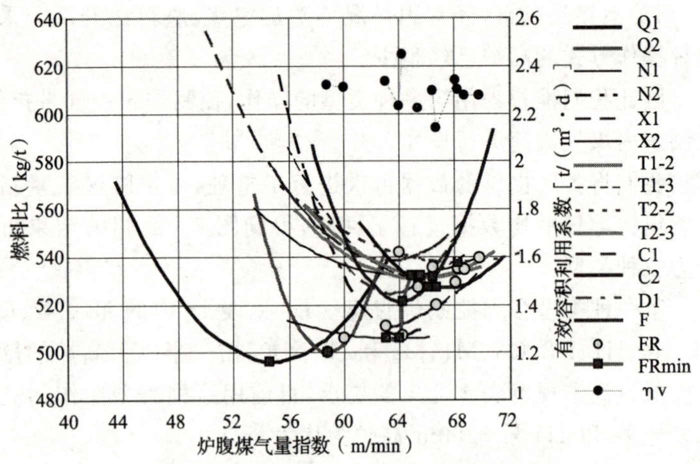

图 8　2000m³ 级高炉炉腹煤气量指数与燃料比的关系

由图 8 可以得到以下结论：

(1)从回归曲线的最低燃料比和操作的燃料比的分布来看，在炉腹煤气量指数 54m/min～62m/min 的区间内最低点上升得比较缓慢；燃料比的最低值一般出现在炉腹煤气量指数 60m/min 左右；而炉腹煤气量指数小于 64m/min 时，"U"字形曲线的最低燃料比上升得很不明显，炉腹煤气量指数由 54m/min 增加到64m/min最低燃料比的增加量在 10kg/t 以内。

(2)在炉腹煤气量指数在 63m/min～64m/min 左右有明显变化；超过 64m/min 燃料比迅速抬升，并且上下波动比较大，操作点变得混乱。

(3)不但单个高炉的燃料比与炉腹煤气量指数符合一定的规律，各高炉"U"字形回归曲线的最低燃料比，随炉腹煤气量指数的上升存在一个突变说明，控制炉腹煤气量是降低燃料比的重要手段之一。

(4)图中黑色圆点为高炉炉腹煤气量指数与有效容积利用系数的关系。在总体上，随着平均炉腹煤气量指数上升，平均利用系数并没有上升，基本上持平。因此单纯用提高炉腹煤气量来强化高炉，并没有得到任何效果，反而引起燃料比、能耗的上升。

综合以上调研的结果证明：本规范表 4.2.1 规定的炉腹煤气量指数范围是正确的。可以采用表中的炉腹煤气量指数值作为高炉正常的操作控制范围。

为了说明在炉腹煤气量指数与燃料比呈"U"字形曲线中，随着炉腹煤气量指数升高燃料比升高的原因。我们对高炉煤气利用率 η_{co} 与炉腹煤气量指数的关系进行了回归。现举例如下。

图 9 为 H2 高炉炉腹煤气量指数与炉顶煤气利用率 η_{co} 的关系。

正如前面图 7(a)和图 9(a)所示 H2 高炉的燃料比低是由于炉顶煤气的利用率 η_{co} 高的缘故，其平均煤气利用率达到了 50.32%。即使在回归期间最高的炉腹煤气量指数为65.53m/min，仍然在合适的范围内，煤气利用率 η_{co} 仍达到了 49.50%。

图 9(b)所示的 Q2 高炉，煤气利用率在炉腹煤气量指数为 58m/min 左右达到最高点，约 50.5%；煤气利用率的最高点正好与回归得到的燃料比最低点位于炉腹煤气量指数 58.78m/min 处相对应。而且煤气利用率随炉腹煤气量指数的上升迅速下降还可以解释图 9 中 Q2 高炉的燃料比随着炉腹煤气量上升迅速上升的原因。

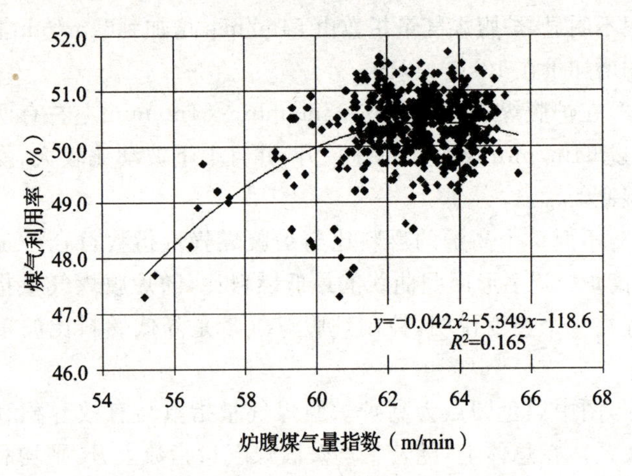

（a）H2高炉

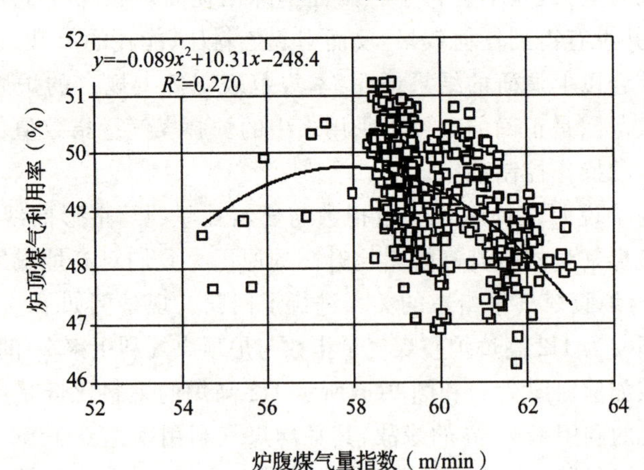

（b）Q2高炉

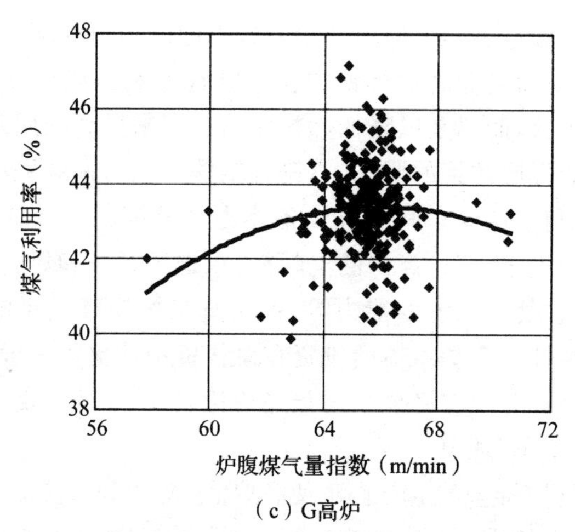

（c）G高炉

图9　高炉炉腹煤气量指数与炉顶煤气利用率 η_{co} 的关系

然而，G高炉日常操作的炉腹煤气量指数比较高，流速比较高，煤气在炉内的停留时间缩短，炉料与煤气的接触条件变差，在炉腹煤气量高的区域，燃料比升高的同时炉顶煤气利用率下降；其次，炉内的煤气流量多，炉料下降的阻力比较高，为了让大量的煤气较顺畅地通过料柱，就必须采取疏松边缘或者中心的布料措施，也使煤气的利用率降低。目前虽然大家都认识到控制炉腹煤气量指数的重要性，可是提高利用系数的想法仍然诱惑着许多管理者。所以尚存在强化程度过高的倾向，这是使得炉顶煤气利用率下降、燃料比有上升的重要因素。

根据以上调研的结果证明，本规范规定的年平均炉腹煤气量指数是合适的。

本规范研究了历年的生产统计数据，规定的设计年平均有效容积利用系数和炉缸面积利用系数应该是正常年份所能达到的。为了能较早的回收投资，必须有较高的利用系数，因此设定了下限值。在改善了原料、燃料的条件下，高炉的年平均利用系数仍然存在着上限值。本规范设定了年平均利用系数的上限值，只要降低燃料比，完全能够取得更高的利用系数。本规范设置上限值的目的是为了克服过高的年平均利用系数引起的如下弊端：

(1)对全面贯彻高炉炼铁的技术方针不利。如果过分强化来提高利用系数，而不是以降低燃料比的方式来提高利用系数，不符合钢铁产业发展政策的要求，不符合钢铁工业可持续发展的道路。

(2)不利于炼铁车间综合设备能力的发挥。设计过程一般根据总体规模先定产量，高炉的上料能力、送风系统和煤气除尘系统的能力，渣铁处理系统的能力等，都是直接按铁产量定的，唯有炉容有较大弹性。高炉本体的投资在总投资中的比重一般为10%～15%。在设计时很有必要考虑设备综合能力的利用效率，防止出现"大马拉小车"现象。

(3)不利于企业的生产平衡，使高炉生产始终处于被动状态。炼铁经常处于生产的"瓶颈"，使得整个企业的投资和设备能力难以发挥。

(4)从我国的钢铁产业政策和能源政策来看，首先要抓的是降低能耗，利用系数将在次要位置。只有以降低能耗而得到的高利用系数才是科学的。

(5)在本规范中规定的设计年平均炉腹煤气量指数能够把设计年平均有效容积利用系数和炉缸面积利用系数和燃料比联系起来形成一个完整的指标体系。

(6)过高的利用系数将导致燃料比、能耗上升，高炉寿命缩短，对降低成本不利。高炉按适宜炉腹煤气量来强化高炉操作，可实现最佳指标。近年日本高炉指标证明了按炉腹煤气量操作的合理性。

表19　近年来日本高炉指标

年份	燃料比	焦比	煤比	系数	熟料比
2009	504	397	107	1.73	80.4
2010	505	371	134	1.95	80.6
2011	504	353	151	1.90	81.1

总之，设计要反对设定过高的、不易到达的利用系数，造成能力的长期积压，避免在低的设备效用率、高的空运转率下运行；防止宽打窄用。

4.2.2　为了与钢铁企业其他生产单元相衔接，与国外高炉指标相一致，为了生产统计的方便，本规范采用作业率，而不采用原苏联的年工作日数。过去对规定工作日数的定义为日历日数减掉大、中修休风日数。高炉寿命已经延长至15年以上，并取消了中修。高炉大修又取决于生产组织和大修规模等不确定因素，因此无法分摊到每年中。

4.2.3 高炉应保持在合适的利用系数下操作，以达到绩效的最佳化。高炉的强化、生产能力的提高主要依靠改善原料、燃料条件、降低燃料比和焦比，以及提高炉顶压力、提高富氧率降低单位生铁炉腹煤气量和鼓风量来达到。R厂高炉就是以此理念进行设计的，高炉在不同利用系数下操作，对应有不同的操作指标。设计R厂2号高炉时采用的操作指标见表20。

表20 R厂2号高炉原设计的操作水平

项目	单位	[A]高炉阶段	[B]高炉最终	[C]设备能力	备 注
P_{100}	t/d	9100	9600	10000	
利用系数	t/(m³·d)	2.24	2.36	2.46	P_{100}时
燃料比	kg/t	540	502	484	
焦比	kg/t	480	430	400	
煤比	kg/t	60	80	100	
湿度	g/Nm³	15	10	平均6	夏季9
富氧率		≤3%	≤3%	最高4%	
热风温度	℃	≥1200	≥1250	最高1310	
鼓风风量	Nm³/min	7210	6770		

4.3 送风条件

在高炉炼铁工程设计中，高炉的送风条件设计十分重要。本规范新增了送风条件这一节，用以规范高炉的鼓风机、富氧率等参数的计算。

4.3.1 为了选择高炉鼓风机时，控制高炉的耗风量，本规范对冶炼每吨生铁的耗风量进行了匡算。在高炉不富氧时，匡算的每吨生铁耗风量是根据鞍钢、本钢和宝钢高炉的实际耗风量折算，以及配料计算的结果取其上限值得到的，见图10。实际折算和配料计算的吨铁耗风量均较本规范选用数据（曲线）为低，因此本规范表4.3.1的吨铁耗风量包含了高炉冷风流量计以后的漏风损失在内的吨铁耗风量。

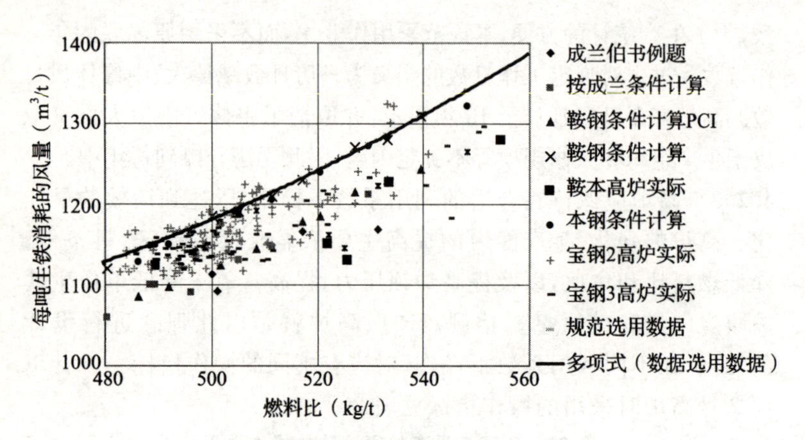

图 10　不富氧时每吨生铁耗风量

回归得到不富氧时的吨铁耗风量 v_0 经验公式如下：

$$v_0 = 0.01292FR^2 - 10.20FR + 3050 \tag{14}$$

式中：FR——燃料比(kg/t)。

富氧鼓风时，每吨生铁的消耗风量可以由下式求得：

$$v_f = v_0 \frac{21}{21+f} \tag{15}$$

式中：v_f——富氧时的每吨生铁耗风量(Nm^3/t)；

v_0——不富氧时的每吨生铁耗风量(Nm^3/t)；

f——富氧率(%)。

如果能够获得相近高炉的操作条件，结合本高炉设计的原燃料条件，通过物料平衡和热平衡的配料计算，确定吨铁耗风量更加合理。这个吨铁耗风量应增加漏风风量。

4.3.2　高炉鼓风机的常年工况点可以按照规范表 4.2.1 规定炉腹煤气量指数及相应的富氧率来选取。

高炉鼓风机最高工况点的风量宜根据高炉气体动力学的约束方程综合研究确定。

(1)最大炉腹煤气量。

最大炉腹煤气量可以按照三个气体动力学不等方程式(16)～

(18)计算:即由炉内阻力损失、料柱透气能力和风口前鼓风压力上限值的三个非线性规划的约束条件来确定：

$$\frac{P_B^2-P_T^2}{K}-V_{BG}^{1.7}\geqslant 0 \tag{16}$$

$$\frac{(P_T+\Delta P)^2-P_T^2}{K}-V_{BG}^{1.7}\geqslant 0 \tag{17}$$

$$2(P_0-P_a)+P_T+\sqrt{KV_{BG}^{1.7}+P_T^2}-\frac{2P_0CV_{BG}}{\bar{u}_0}\geqslant 0 \tag{18}$$

$$C=\frac{\bar{T}}{T_0}\frac{1}{60S} \tag{19}$$

$$S=\alpha\cdot V_w/h \tag{20}$$

式中：P_B——风口热风绝对压力(表压加当地大气压力),100Pa；

P_T——炉顶绝对压力(表压加当地大气压力),100Pa；

ΔP——风口热风与炉顶的压力差,100Pa；

V_{BG}——高炉炉腹煤气量(m^3/min)；

P_0——标准大气压力,100Pa；

P_a——当地大气压力,100Pa；

K——高炉透气阻力系数；

$\bar{u}_o$——高炉炉内平均煤气流速(m/s),取值 3.2；

$\bar{T}$——炉顶温度和风口理论燃烧温度的平均值(K),可取1473K；

T_0——标准状态下的大气温度(K)；

S——炉内平均有效断面积(m^2)；

α——炉料的空隙度,取值 0.5；

V_w——风口到料线间的工作容积(m^3)；

h——风口到料线的高度(m)。

由公式(16)～公式(18)三组非线性方程,用作图法来求解产量与高炉风量关系,如图 11 所示。

确定最大炉腹煤气量的目的是为了保证高炉在合适的透气阻力系数 K 的条件下炉况稳定顺行,为低燃料比操作创造条件。

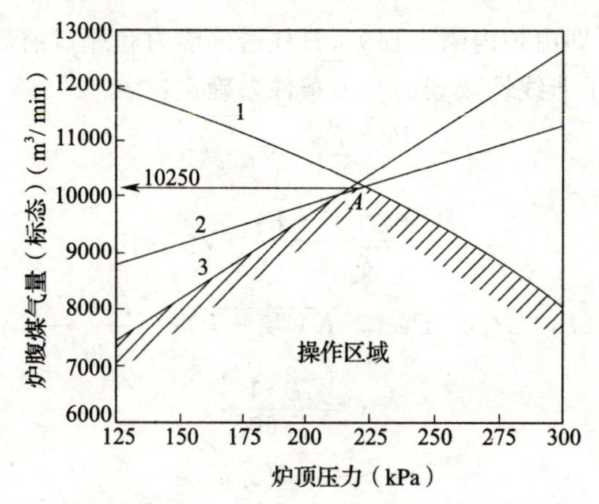

图 11　利用公式(16)～公式(18)非线性方程求 R 厂 1、2 号高炉的最大炉腹煤气量的图表

1－P_B＝422kPa；2－P_B-P_T＝196kPa；3－$\overline{u_0}$＝3.2m/s

(2)高炉透气阻力系数 K 值的确定。

高炉透气阻力系数 K 值的确定可根据实际高炉统计数据选取。

2013 主要高炉的实际透气阻力系数 K 值调查结果见图 12，设计时可根据该图选择高炉透气阻力系数 K 值限制值。

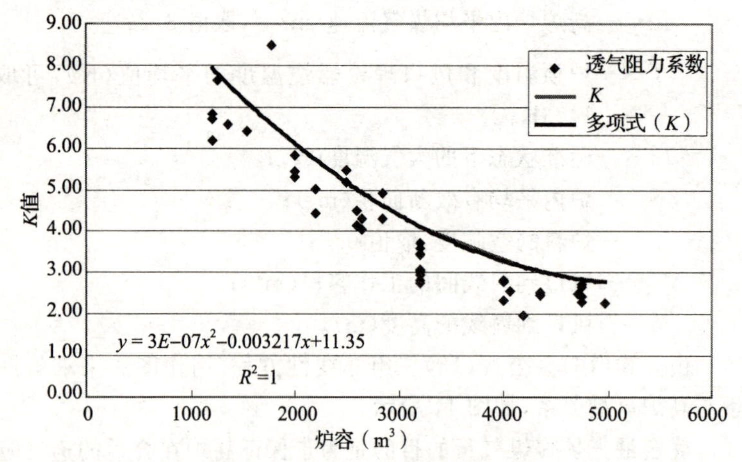

图 12　炉容与 K 值限制值的关系

2012年全国240座高炉操作数据统计的 K 值分布见下图13。

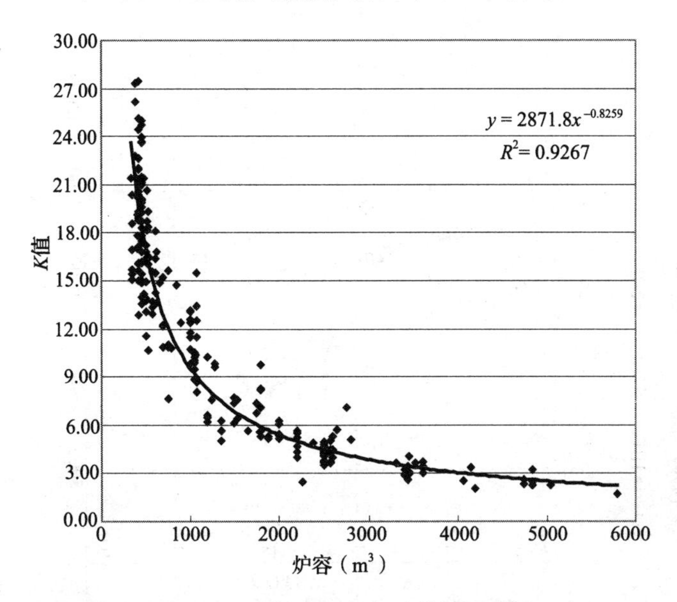

图13　2012年全国高炉 K 值调查结果

(3)鼓风参数和富氧率的决定。

根据高炉产量和吨铁耗风量确定在没有富氧时的最大风量，可是这个风量受最大炉腹煤气量的限制。必须确定最大炉腹煤气量的条件下允许的风量，如果这个风量不能满足高炉的产量要求，则应增加氧气量来满足。

由设定的操作范围和最大炉腹煤气量通过下面的计算和作图求得入炉最大风量。

本计算的目的是要完成规定产量时，充分利用最大炉腹煤气量这个限制性环节，运用富氧来保证高炉的强化。

如前所述，合适的炉腹煤气量是保证炉况顺行，低燃料比操作的必要条件。下面以R厂1、2号高炉为例，在设定高炉的主要操作指标(见表20)和由图11求解的最大炉腹煤气量说明确定送风条件的方法。

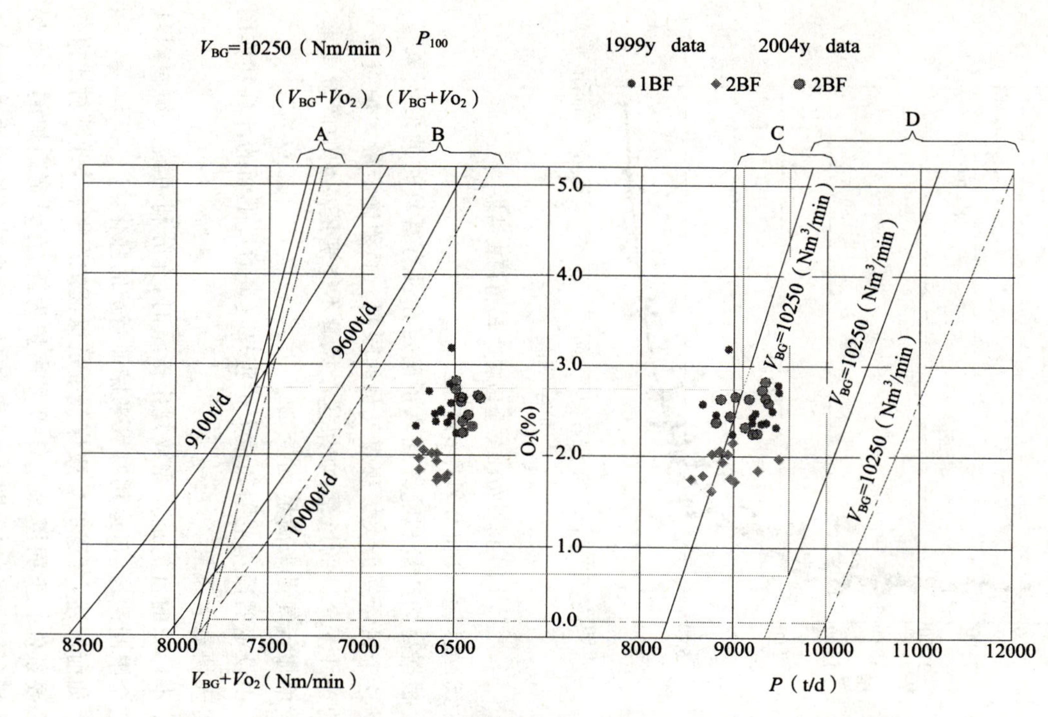

图14 由R厂1、2号高炉最大炉腹煤气量、产量确定最大风量和富氧量

对图 14 中各组曲线的计算方法作如下说明。

A 组曲线分以下两种情况：

当在鼓风机机后富氧时，由 A 组曲线决定最大炉腹煤气量时的最大入炉风量，可采用下式计算：

$$V_{Bmax}=\frac{V_{BGmax}}{1.21+\frac{2f}{79-f}+\left(\frac{44.8W_B}{18000}+\frac{22.4P_{CR}\times H}{200v_f}\right)\times\left(1+\frac{f}{79-f}\right)} \tag{21}$$

当在鼓风机机前富氧时，在最大炉腹煤气量情况下，改变富氧率即可求得最大入炉风量，其计算公式如下：

$$(V_B+V_{O_2})_{max}=\frac{V_{BGmax}}{1+\frac{44.8W_B}{18000}+\frac{21+f}{100}+\frac{22.4P_{CR}\times H}{200v_f}} \tag{22}$$

B 组曲线也分为两种情况：

当机后富氧时，按规定产量不同富氧率计算入炉最大风量，计算公式如下：

$$V_{Bmax}=P\cdot v_0\,\frac{21}{21+f} \tag{23}$$

当机前富氧时，按规定产量不同富氧率计算入炉最大风量和氧气量，计算公式如下：

$$(V_B+V_{O_2})_{max}=P\cdot v_0\,\frac{21}{21+f}\left(1+\frac{f}{79-f}\right) \tag{24}$$

C 组直线为规定的高炉产量。

D 组曲线是最大炉腹煤气量时的产量，其计算公式如下：

$$P=\frac{V_{BGmax}}{\frac{v_f}{1440}\left(1+\frac{44.8W_B}{18000}+\frac{21+f}{100}\right)+\frac{22.4P_{CR}\times H}{288000}} \tag{25}$$

式中：V_{BGmax}——高炉最大炉腹煤气量（m^3/min）；

V_B——高炉入炉风量（m^3/min）；

V_{O_2}——富氧量（m^3/min）；

P——高炉日产铁量（t/d）；

f——富氧率(%)；

v_f——富氧时的吨铁耗风量和耗氧量(m^3/t)；

W_B——鼓风湿度(g/m^3)；

P_{CR}——喷煤比(kg/t)；

H——煤粉的含氢量(%)。

由气体动力学计算作图11求得R厂1、2号高炉的最大炉腹煤气量为$V_{BGmax}=10250m^3/min$。R厂采用氧气在鼓风机机前加入的方式，操作的可行点应在小于公式(22)、(24)计算的$(V_B+V_{O_2})_{max}$区域，即在小于最大炉腹煤气量的下方操作。因此求解高炉操作参数也是一个由图14中A、B、C、D四组曲线所规定的非线性规划问题。

由图可知，在规定产量的条件下，最大炉腹煤气量V_{BGmax}是限制条件，随着日产量的提高，富氧率也必须提高。在充分评估了富氧的作用以后，进行鼓风机能力的选择才符合现代高炉技术发展的现实，也与实际操作相符。

上述计算不但确定了高炉最大风量，而且确定了富氧量等送风条件。

为了比较机前富氧与机后富氧的差别，用R厂3号高炉加以说明。图15(a)把鼓风机前富氧时，富氧率与入炉风量加氧量($V_B+V_{O_2}$)，以及机后富氧时，入炉风量V_B与富氧率的关系进行了比较。图15(b)中还将分年度各月的入炉风量V_B与平均的日产量用不同的点代表，由图可知，高炉月平均日产量均在10000t～11500t范围内达到了5000m^3高炉的产量。图15(a)中有两组曲线，上面一组曲线与图14中的A组曲线相同为入炉风量加氧气量，即在鼓风机前加入氧气；虚线为日产量9600t/d、点划线为10000t/d和实线为11500t/d。

图15(a)中较低的一组曲线为机后富氧，即氧气不通过鼓风机入炉时的最大炉腹煤气量中鼓风那部分的限制线，这是因为仅仅入炉风量通过鼓风机。当机前富氧时，要求鼓风机的能力较机

后富氧要大。富氧率越高富氧量越大，并且由于最大炉腹煤气量的限制，随着富氧率的提高，入炉风量下降。

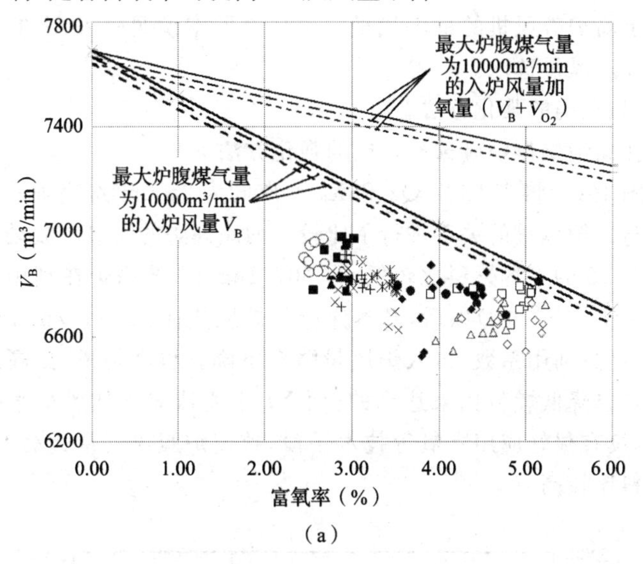

（a）

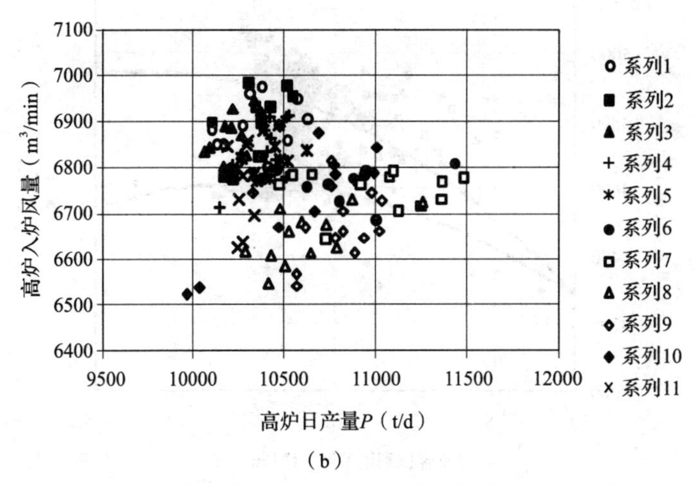

（b）

图 15　R 厂 3 号高炉 1999 年至 2009 年富氧率与入炉风量(a)，以及月平均日产量与入炉风量(b)之间的关系

在没有足够的数据确定上述公式中的参数时，可以根据同类高炉实际生产统计的数据得到由风量形成的最大炉腹煤气量指数来确定高炉鼓风机的最大风量。也可参照本说明中表 21 的最大入炉标态风量选取。

(4)正确的强化方法。

在高炉操作中应选择正确的强化方法。

图 16(a)将表 18 中 Q2 和 X1 两座同为 $2500m^3$ 级高炉的利用系数与入炉风量的关系进行了比较。两座高炉的富氧率波动都比较大。Q2 的平均燃料比较低，为 507.1kg/t。该高炉在利用系数达到 $2.1t/(m^3 \cdot d)$ 以后，基本保持入炉风量在 $4600m^3/min$ 的水平，当提高利用系数时，入炉风量略有下降。也就是说，提高产量时主要以降低燃料比来达到的；而 X1 主要依靠增加风量来提高产量，没有很好应用富氧等技术手段，致使炉腹煤气量过高，其结果燃料比较高。

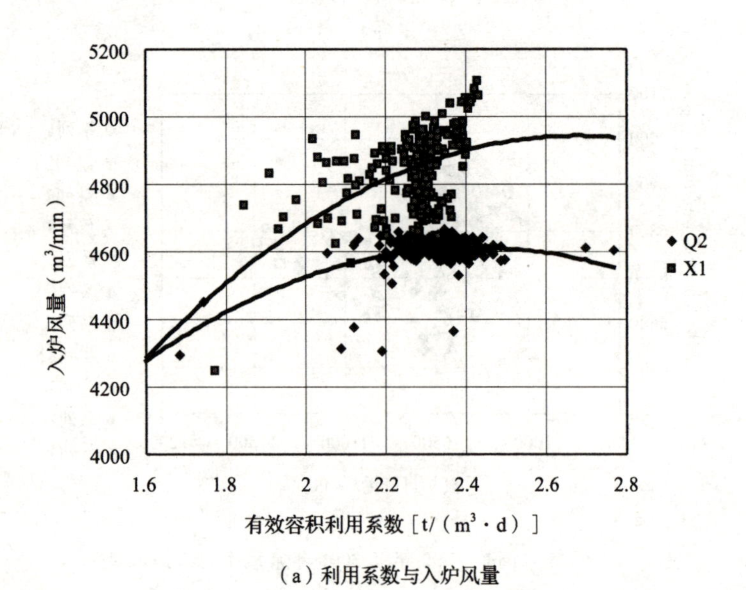

(a) 利用系数与入炉风量

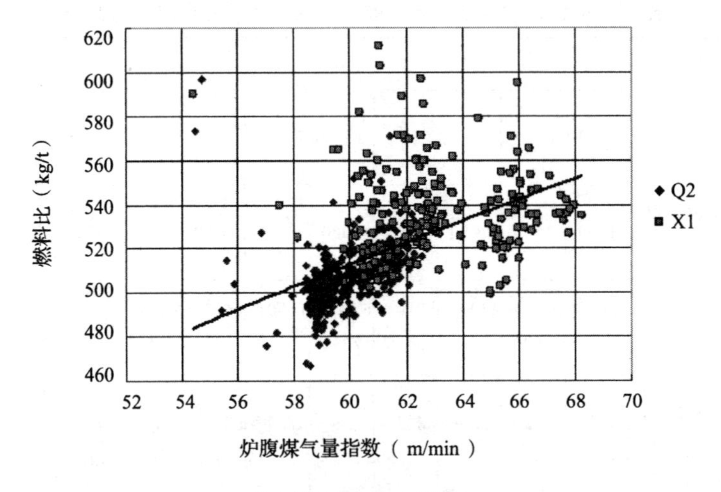

（b）炉腹煤气量与燃料比

图 16　Q2 和 X1 两座同为容积 2600m^3 左右高炉主要指标的关系

由图 16(b)可知，在炉腹煤气量指数 60m/min～64m/min 的区域，X1 高炉的燃料比几乎与 Q2 高炉的相同，而一部分燃料比有向上弥散的趋势，如能降低强化程度使炉况稳定，完全可以与 Q2 高炉有相同的燃料比。炉况不稳定主要是炉腹煤气量过高所致。由图 16 的(a)和(b)对照，炉况不稳定主要是由风量过大所致，加大风量并没有使有效容积利用系数升高(见表 18)，而 Q2 高炉很稳定地取得有效容积利用系数 2.3t/(m^3 · d)的成绩。

设计应该创造正确运用现代炼铁的技术手段来提高产量，鼓励用控制炉腹煤气量降低燃料比的方法来实现，而不支持采取加大风量的办法来实现。

(5)最大入炉标态风量和高炉鼓风机最大出口标态风量的算例。

最大入炉标态风量和高炉鼓风机最大出口标态风量(包括高炉冷风流量计到高炉的漏风损失)的计算例见表 21。

表 21　最大入炉标态风量和鼓风机最大出口标态风量计算例

指标	高　炉									
炉容级别 (m^3)	1000		2000		3000		4000		5000	
炉容选例 (m^3)	1000	1500	2000	2500	3000	3500	4000	4500	5000	5500
日产量(t/d)	2300～2650	3250～3825	4300～5000	5250～6125	6300～7350	7350～8400	8400～9800	9225～10800	10000～12000	11000～13200
面积利用系数 [t/(m^2·d)]	51.2～70.0	51.2～70.1	52.6～70.7	53.3～70.9	57.5～71.2	57.5～71.8	58.7～74.0	58.8～73.6	59.1～74.4	60.6～74.8
容积利用系数 [t/(m^3·d)]	2.20～2.65	2.15～2.55	2.15～2.50	2.10～2.45	2.10～2.45	2.10～2.40	2.10～2.45	2.05～2.40	2.00～2.40	2.00～2.40
正常炉腹煤气量指数 (m/min)	58.0	56.0	56.0	56.5	59.0	58.0	62.5	61.7	60.1	65.8
最大炉腹煤气量指数 (m/min)	66.2	66.2	66.1	66.0	65.8	65.5	66.0	65.6	65.5	66.0
燃料比(t/d)	500～540	500～540	500～530	500～530	495～520	495～520	490～510	490～510	490～505	485～505
富氧率(%)	1.0～2.5	1.0～2.5	1.5～3.0	1.5～3.0	2.0～3.5	2.0～3.5	2.0～4.0	2.0～4.0	2.0～4.0	2.0～4.0
正常入炉标态风量 (m^3/min)	1860	2500	3350	4000	4650	5300	6000	6670	7280	7940

续表 21

指标	高炉									
最大入炉标态风量(m^3/min)	2100	2900	3700	4450	5200	5900	6550	7200	7900	8600
热风炉充风量(m^3/min)	300	350	400	450	500	600	700	800	850	850
鼓风机出口风量(m^3/min)	2400	3250	4100	4900	5700	6500	7250	8000	8750	9450
单位炉容的风量[m^3/(m^3·min)]	2.40	2.17	2.05	1.96	1.90	1.86	1.81	1.78	1.75	1.72

为保证高炉达到本规范中表4.2.1的设计年平均指标，表21在确定高炉鼓风机的入炉正常和最大风量以及鼓风机出口风量时，设定的日产量更高，选定的燃料比、平均炉腹煤气量和最大炉腹煤气量也较高。

(6)对送风条件的几点补充说明。

高炉的吨铁耗风量应根据高炉的原燃料条件和设定的期望操作指标(焦比、煤比、富氧率)，采用全平衡的配料计算来确定。

本规范提出验算和限制炉腹煤气量指数，使其被控制在合理范围，目的是防止采用不恰当的设备配置，为获得超高的利用系数，过分开放高炉中心，大量未与矿石接触的煤气沿中心通路直接排放，高炉的煤气利用率不足，燃料消耗居高不下的情况过分发展。过高的炉腹煤气指数、燃料消耗大幅度增加的高炉强化方式，不符合当前节能减排和可持续发展的指导思想，应该得到及时的纠正。

采用规范表 4.3.1 的数据计算耗风量时，不应增加热风炉及热风管道的漏风损失。

在选择高炉鼓风机时，高炉正常入炉风量 E 点应在鼓风机的高效率区域。

由于目前大多数没有采用新送风系统的高炉，管道漏风损失严重，而采用了新送风系统的高炉，克服了漏风，鼓风机的设备能力得以正常发挥，并减少了能量损失。如 R 厂、O 厂新 1 号高炉等采用了新的送风系统，几乎看不出漏风。

本规范预留的鼓风机富裕能力，主要在如下方面：首先，从单位耗风量取的值较计算值要高；其次，计算时降低了富氧量，采用设计或更高的富氧率计算鼓风机的能力就有了富裕；第三，考虑了热风炉的充风量；第四，若采用冷却脱湿，鼓风机的能力就更富裕了。因此在选择鼓风机时，风量不宜大于本计算例。

统计了国内、欧洲和日本高炉鼓风机的实际配置情况并进行了比较，得知欧洲和日本的单位炉容鼓风机风量较我国小得多。欧洲和日本高炉单位炉容的鼓风机风量为 $1.5m^3/min$～$1.9m^3/min$。

过去我国由原苏联进口的大型高炉鼓风机，以及我国早期制造的鼓风机均未采用标准状态的风量标示，如 K－3250、K4250、Z3250 等。因此鼓风机的单位炉容的风量偏高，误导了鼓风机风量的选择，造成目前新配鼓风机的风量普遍偏高的现象。

C 厂高炉原设计采用 Z3250 汽动鼓风机，因风量有余，后将高炉炉容增大 18%，同时调整鼓风机叶轮。蒸汽耗用量也由 53t/h～55t/h 降低到 45t/h。实践证明，C 厂高炉生产中对贯彻高效、优质、低耗、长寿的方针比较好。

R 厂高炉鼓风机是由高炉炉腹煤气量的上限值和高炉透气阻力系数确定的。这种方法比较科学，正确地指引了提高利用系数必须降低燃料比。而我国沿用原苏联的方法来确定高炉鼓风机是不合理的。在新的条件下，降低燃料比、高富氧和提高炉顶压力，使得高炉的强化不单纯依靠鼓风。在R厂1、2号高炉用上述方法确定鼓风机能力的基础上，根据实际操作进行验证的结果表明，鼓风机的能力有较大的富裕。R厂在采用机前富氧的情况下，进一步用实际操作的炉腹煤气量研究了利用原有鼓风机扩大高炉容积的可能性。对3、4、2(第二代)、1(第三代)号高炉分别扩大有效容积至4350m^3、4747m^3、4707m^3和4966m^3；单位炉容鼓风机的风量分别为2.023、1.854、1.870和1.772Nm^3/min。3号高炉2004年利用系数达2.425$t/(m^3 \cdot d)$，11月月平均利用系数达到2.624$t/(m^3 \cdot d)$。1号高炉2012年利用系数达2.140$t/(m^3 \cdot d)$，最高月平均2.308$t/(m^3 \cdot d)$。

N厂改用较小的鼓风机，克服了鼓风机与高炉炉容不匹配的矛盾，杜绝了"大马拉小车"现象，减少了放风操作，使吨铁耗风量下降，每吨生铁的动力消耗降低了2kgce/t～3kgce/t。

4.3.3 炉顶压力应随炉容的扩大而增加，尤其在3000m^3以上的高炉必须采用更高的炉顶压力来强化操作。随着炉顶压力的提高，对操作、设备维修和管理都有更高的要求。

高炉的炉顶操作压力值是高炉操作者可以设定的最高操作压力值，并在高炉操作指标表中规定。高压操作是强化高炉冶炼、提高产量、降低焦比的有效手段，均应采用。本规范推荐提高炉顶压力值。

5 总图运输

5.0.1 炼铁车间靠近原料场、焦化、烧结、球团、炼钢等车间布置，将使各原料运输及铁水运输距离缩短，节约运行成本。

5.0.2 高炉区是钢铁厂中最凌乱的区域之一，总图布置显得尤为重要，合理的布置既满足生产需要，节省投资，厂区也整齐美观，疏密有致。

根据高炉工艺流程，将辅助设施分成相对独立的功能分区，使管线尽量集中布置在各自的功能分区内，管线短，也便于生产管理和今后分别对各区进行相对独立的改、扩建。

高炉区建、构筑物长轴的方向（尤其是采用铁路运输时）的确定，直接影响高炉区的整齐美观。高炉区建、构筑物长轴与道路平行或垂直，使道路“横平竖直”，厂区布置构图美观，运输方便，同时，为沿道路敷设的管线短直及降低工程投资创造了条件。

5.0.3 高炉大修时需要一定的检修场地，为方便吊车作业，检修场地周围不宜有大型架空管道。

5.0.4 目前，铁水运输普遍采用铁路运输，道路运输近年也采用较多，铁水也可采用轨道车运输。

铁路运输比较成熟，近年大容量铁水罐一罐制技术的发展，铁路运输表现出了较强的适应性。

小容量铁水罐采用道路运输已经积累了丰富的经验，但根据目前的技术水平，大容量铁水罐采用道路运输有一定的困难，因此，限制了道路运输铁水的发展。

近年来，铁水也采用轨道车运输，采用轨道车运输时，高炉和转炉之间布置形式和相对位置直接影响运输距离和炼铁、炼钢的生产组织方式。这种布置方式即常说的“刚性连接”。刚性连接对场地条件等提出了一定的要求。

刚性连接时，由于高炉靠近炼钢，炼钢一般又紧靠轧钢，使炼铁、炼钢、轧钢几乎连成整体，对场地面积、场地形状、竖向高差有一定的要求。

高炉座数不宜过多，否则铁水或高炉的原料运距太远，使刚性连接的优势不能充分发挥，也会导致投资过高。

高炉的生产、铁水运输、炼钢生产需要匹配。刚性连接对铁水运输、生产组织（铁水罐修理、铸铁）、事故状态下的应急处理比传统的布置方式对生产组织提出了更高的要求。

5.0.6 因一罐制采用的罐体超限且尺寸不对称，故设计时应根据具体情况，按照《钢铁企业总图运输设计规范》GB 50603 中的计算方法对铁路线间距及建筑限界进行计算核算。

5.0.8 鉴于近年来发生的安全生产事故和经验，干渣坑下不应敷设管线。干渣坑汽车出入口附近，不应设置电缆沟、埋地管廊的吊装孔和通风孔，以免熔渣灌入造成生产安全事故。

6 矿槽焦槽及上料系统

6.0.1 焦槽、矿槽主要的作用是满足高炉生产和配料方面的调节。为了在烧结设备检修时能向高炉正常供料，一般应考虑原料、燃料的落地贮存设施。矿槽、焦槽容积的贮存时间主要是考虑供料系统皮带检修及高炉生产波动时，能确保高炉正常生产。贮矿槽的数目要满足矿种及矿槽倒换和检修的要求。由于供矿系统的皮带比运焦皮带容易损坏，焦炉的生产也比较稳定，因此，贮矿槽的贮存时间多于贮焦槽时间。

在编制《炼铁设计参考资料》时对各级高炉烧结矿槽和焦槽的贮存时间作了长时间的调查研究，实践证明《炼铁设计参考资料》的推荐意见是合适的。但因目前高炉焦比的降低，焦槽的实际贮存时间已经延长，故作了适当放宽。

《炼铁设计参考资料》推荐的烧结矿槽和焦槽贮存时间见表22。

表22 矿槽、焦槽的贮存时间

高炉容积(m^3)	烧结矿贮存时间(h)	焦槽贮存时间(h)
2500	9～14	6～8
2000	9～14	6～8
1500	10～16	6～8
1000	14～22	6～8

R厂高炉矿槽、焦槽的设计容积及贮存时间见表23。

表23 R厂高炉矿槽、焦槽的容积及贮存时间

厂名，炉号	炉容(m^3)	焦槽总容积(m^3)	焦槽数目(个)	焦炭贮存时间(h)	矿槽总容积(m^3)	矿槽数目(个)	烧结矿槽容积(m^3)	烧结矿贮存时间(h)
R厂1高炉	4966	2700	6	8.0	7000	16	3962	13.0

续表 23

厂名,炉号	炉容(m³)	焦槽总容积(m³)	焦槽数目(个)	焦炭贮存时间(h)	矿槽总容积(m³)	矿槽数目(个)	烧结矿槽容积(m³)	烧结矿贮存时间(h)
R厂2高炉	4706	2700	6	8.0	7100	20	4528	15.0
R厂3高炉	4850	3600	8	10	8700	20	6500	15.6
R厂4高炉	4747	3600	8	11	8900	20	5120	16

由于R厂高炉喷吹煤粉,焦比大幅度下降,焦槽实际贮存时间延长至10小时以上,能够满足高炉生产的要求。而矿槽略显不足。

R厂高炉能够采用较小的烧结矿槽容积是成功地使用了落地烧结矿的缘故。近年来,C厂高炉总结经验,也成功地使用了落地烧结矿。在使用落地烧结矿时保持高槽位;加强槽下筛分,调整高炉操作。

P厂3号高炉矿槽和焦槽偏小,其贮存时间见表24。

表24 P厂3号高炉矿槽、焦槽容积及贮存时间

厂名,炉号	炉容(m³)	焦槽总容积(m³)	焦槽数目(个)	焦炭贮存时间(h)	矿槽总容积(m³)	矿槽数目(个)	烧结矿槽容积(m³)	烧结矿贮存时间(h)
P厂3高炉	2200	920	2	3.28	2800	24	1440	7.45

P厂实际使用比较紧张,特别是焦炭槽的容量小,以及装满系数的影响更显得紧张。

6.0.2 矿槽和焦槽在库量的管理能保证原料、燃料的贮存量,从而减少矿槽和焦槽的贮存时间,发挥计算机的管理功能和效益。

6.0.3 为了减少焦粉及矿粉入炉量,改善炉内透气性,烧结矿槽及焦槽下必须设置筛分设施。在选择筛分设备时应重视筛分效率。

6.0.4 本条规定对入炉原料应设置称量误差补正和焦炭水分补

正设施，这是稳定高炉操作的有效措施，这一技术目前已普遍采用。宜准确进行焦炭的水分补正，稳定高炉的热负荷。

6.0.5 由于已经普遍采用冷烧结矿，因此本条规定矿槽、焦槽的上、下部均采用胶带运输，减少烧结矿和焦炭的破碎。

6.0.6 中小高炉多采用斜桥料车上料，其优点是占地面积小、能耗低、投资少，比较适宜单出铁场布置的高炉。皮带上料的主要优点是矿槽、焦槽布置远离高炉，炉前广阔，有利于除尘环保设施的布置，推荐采用皮带上料。但资金和用地紧张的小于或等于 $2000m^3$ 级高炉也可以采用料车上料。国内部分高炉上料形式及主要装备见表25、表26。

表25 国内 $2000m^3$ 以上高炉的主要工艺装备

厂名	炉号	炉容(m^3)	上料形式	炉顶设备形式	炉体冷却形式		出铁场数目	渣铁口数目	
					水系统	冷却设备		铁口	渣口
T厂	6	2000	皮带	无钟	密闭	冷却板	2	3	0
E厂	1	2000	皮带	无钟	密闭	冷却壁	2	3	0
P厂	3	2200	料车	无钟	开路	冷却板壁	—	3	0
	4	2200	皮带	无钟	开路	冷却板壁	—	4	0
O厂	11	2580	皮带	无钟	密闭	冷却壁	2	3	0
	10	2580	皮带	无钟	密闭	冷却壁	圆形	4	0
	新1	3200	皮带	无钟	密闭	冷却板	2	4	0
	新2	3200	皮带	无钟	密闭	冷却壁	2	3	0
N厂	4	2516	料车	无钟	密闭	冷却壁	2	2	0
	1	2200	料车	无钟	密闭	冷却壁	2	2	0
	5	3200	皮带	无钟	密闭	冷却壁	圆形	4	0
M厂	1	2500	皮带	无钟	开路	冷却壁	2	3	0
A厂	2	2500	皮带	无钟	开路	冷却板	2	3	0
H厂	5	2600	皮带	无钟	密闭	冷却壁	2	3	0
	6	2600	皮带	无钟	密闭	冷却壁	2	3	0

续表 25

厂名	炉号	炉容 (m^3)	上料形式	炉顶设备形式	炉体冷却形式		出铁场数目	渣铁口数目	
					水系统	冷却设备		铁口	渣口
R厂	1	4966	皮带	无钟	密闭	冷却壁	2	4	0
	2	4707	皮带	无钟	开路	冷却板壁	2	4	0
	3	4850	皮带	无钟	密闭	冷却壁	2	4	0
	4	4747	皮带	无钟	开路	冷却板壁	2	4	0

注:开路为工业水开路循环水冷却;密闭为软水密闭循环水冷却。冷却设备形式主要是炉身的冷却设备形式。

表 26 国内 $1000m^3$ 级高炉的主要工艺装备

厂名	炉号	炉容 (m^3)	上料形式	炉顶设备形式	炉体冷却形式		出铁场数目	渣铁口数目	
					水系统	冷却设备		铁口	渣口
K厂	2	1780	皮带	无钟	密闭	冷却壁	圆形	2	0
P厂	2	1800	料车	—	开路	冷却壁	1	2	—
B厂	3	1200	料车	钟式	密闭	冷却壁	1	1	—
V厂	5	1200	皮带	无钟	开路	冷却壁	1	1	—
H厂	3	1070	料罐	钟式	开路	冷却壁	1	1	—
	4	1070	料罐	钟式	开路	冷却壁	1	1	—
C厂	1	1250	料车	无钟	开路	冷却板壁	1	1	—
	3	1250	皮带	无钟	开路	冷却板壁	2	2	—
W厂	1	1200	料车	无钟	开路	冷却壁	1	1	2
	2	1200	料车	钟式	开路	冷却壁	1	1	2
	3	1200	料车	钟式	开路	冷却壁	1	1	2
	4	1350	皮带	无钟	密闭	冷却壁	2	2	2
Y厂	2	1200	料车	钟式	密闭	冷却板壁	1	1	2
J厂	2	1260	皮带	无钟	密闭	冷却壁	2	2	—
L厂	8	1260	皮带	无钟	密闭	冷却壁	2	2	—
Z厂	5	1080	料车	无钟	密闭	冷却壁	1	1	2
	6	1380	料车	无钟	密闭	冷却壁	1	2	0

注:开路为工业水开路循环水冷却;密闭为软水密闭循环水冷却。冷却设备形式主要是炉身的冷却设备形式。

6.0.7 上料设备富裕能力的确定与高炉生产指标、焦炭批重和赶料要求等因素有关。设备富裕能力主要是满足高炉最高日产铁量的要求，以及低料线时能满足赶料的要求。富裕能力过大，将使设备效率不能发挥；富裕能力过小，将不能满足高炉高产和赶料的需要。按年平均设计指标计算作业率为65%，是考虑低于正常料线1.5m时，20min内恢复料线；作业率75%，低于正常料线0.8m时，在一小时内恢复料线。如果低料线在1h内还不能恢复正常料线时，则应采取减风操作。

本条规定作业率为65%～70%，对旧的改造高炉可根据实际条件不超过75%。

6.0.9 为节约焦炭充分利用资源，目前大部分高炉已经采用小块焦的回收利用，一般回收的小块焦粒度为10mm～25mm。

向高炉装入小粒度烧结矿时，要单独成批加入高炉。为了更好地改善透气性，应防止小粒度烧结矿对透气性的不良影响。

6.0.10 为了生产安全和人身安全必须采用的安全措施。在M厂和R厂生产初期发生过铁件划伤主胶带的事故，因此规定了应设置检铁装置。

6.0.11 上料料车或主胶带机在运输矿石、焦炭等炉料时，可能发生掉落伤人的事故，故规定此条为强制性条文。

7 炉　　顶

7.0.1 为了改善布料技术，国内外高炉基本上已经采用无料钟炉顶装料设备。

7.0.2 由于高炉广泛采用了喷煤，在高喷煤量的条件下，随着喷煤量的提高，炉内矿焦比的大幅度上升，高炉焦炭料批的重量迅速下降，焦炭料批容积不再是决定高炉装料设备料斗容积的因素，而是受矿批容积及焦丁容积和高炉透气性的限制。实际生产中焦丁是随矿批加入的，本条文推荐用矿批容积和焦丁容积之和来确定装料设备的容积，见表27。

表27　高炉矿批重量的统计资料

厂名，炉号	炉容 (m^3)	炉缸直径(m)	矿批重量 (t)	炉喉矿石层厚(m)	平均风量 (m^3/min)	批重/风量 (%)	料速 (批数/h)
R厂3	4350	14.2	132	0.915	6750	1.96	5.63
R厂2	4063	13.6	119	0.933	6230	1.91	5.10
R厂1	4063	13.6	123	0.964	6220	1.98	5.08
N厂5	3200	12.4	70	0.670	6000	1.17	7.15
AB厂1	3200	12.65	97	0.820	5650	1.72	5.73
AC厂2	3200	12.69	75	0.594	5900	1.27	6.9
AD厂4	3200	12.69	88	0.697	6200	1.42	—
H厂5	2600	11.0	48	0.505	5271	0.91	—
O厂11	2580	11.05	58	0.606	5600	1.04	6.75
K厂1	2536	11.56	55	0.631	4933	1.11	7.36
M厂1	2500	11.1	61	0.626	4132	1.48	7.08
AE厂2	2350	11.0	69	0.72	4926	1.4	—

续表 27

厂名，炉号	炉容 (m^3)	炉缸直径(m)	矿批重量(t)	炉喉矿石层厚(m)	平均风量 (m^3/min)	批重/风量(%)	料速(批数/h)
AF厂5	2300	11.1	50	0.522	4520	1.11	—
P厂4	2200	10.595	40	0.495	3900	1.03	6.66
F厂1	1800	9.75	39	0.614	3740	1.04	6.98
AG厂1	1780	9.75	46	0.643	3350	1.37	—
L厂8	1260	8.0	25.5	0.481	2400	1.06	7.40
U厂5	1260	8.0	24	0.451	2300	1.04	7.28
AH厂1	1260	8.55	31	0.561	2359	1.31	—
C厂3	1250	8.3	25	0.519	2407	1.04	7.77
Y厂2	1200	8.2	24	0.515	2390	1.00	6.40
AJ2	1190	8	39	0.742	3100	1.26	—
F厂2	1000	7.2	30	0.634	2380	1.26	5.74

7.0.4 高炉炉顶设备应设置完善的检修维护设施。

在高炉炉顶应设有各种起重、维修设备。包括炉顶吊车、无料钟炉顶装料设备维修用工具。

7.0.5 高炉炉顶必须设置均压煤气排压消声器及除尘设施，宜设置炉顶排压煤气回收装置。

均压煤气排压时由于管道内的气体具有较高的压力和温度，放散时形成强烈的气流，使整个管道系统发生振动与共鸣，形成强烈的噪声。为防止噪声污染，应设置均压煤气排压消音器。

高炉应设置炉顶排压煤气除尘。

现有高炉均压煤气排放系统存在有毒气体排放，目前炉顶均压煤气排放量约为 $5Nm^3/thm$，宜采用均压煤气回收手段。

均压煤气回收是一项新的节能和环保综合治理的措施，宜把炉顶排压煤气经过净化后，再把这部分煤气回收。

7.0.7 机械探尺重锤边与炉喉墙的间距不应小于 100mm，这是经验数据。

7.0.8 北方地区温度很低，为保证液压、润滑系统的正常工作，应考虑管道的伴热和保温。

7.0.9 现有胶带上料的炉顶基本上都设置了除尘设施，料车上料的炉顶还较少有除尘设施，为保护环境、减少粉尘的排放，应设置除尘设施。

7.0.10 无料钟气密性采用直排水冷却，效率高、简单、可靠，气密箱内部的环境更好，国内已有众多高炉采用，实践证明完全可以满足生产的需要，应得到推广应用。有条件的高炉可采用煤气加压来实现气密箱的气封，以达到节省氮气和提高高炉煤气热值的双重效果。

7.0.11、7.0.12 炉顶实际操作压力是波动的，在高炉出现管道和塌料等异常炉况时炉顶会出现压力冒尖。调查发现，许多高炉都不同程度地出现过炉顶压力异常升高的情况，有的高炉甚至导致了煤气系统的安全事故。炉顶放散阀除休风操作外，在紧急情况下还可利用来防止炉顶压力的异常上升，保证炉顶和煤气系统的安全，R厂的炉顶放散阀正常时均采用自动模式，炉顶系统操作更加可靠。炉顶液压系统的蓄能器是保证事故停电情况下为炉顶必要的设备提供动力源的，应保证处于工作状态，是炉顶安全的需要，故制定本规定。

8 炉 体

8.0.1 高炉寿命的定义和指标是指导高炉设计和生产管理的重要指标,也是指导高炉技术进步的方向。高炉长寿能节约大修费用,提高设备效用指标,增产生铁,减少人力物力消耗,降低吨铁固定资产投资。高炉长寿设计是基础,生产操作是保障,这里提出“设计寿命”的概念,是作为高炉设备设计和材料选择的依据,高炉寿命是靠操作来实现的,不是只靠设计就能够达到的。

长寿高炉应是一代炉龄(无中修)的时间与单位炉容一代炉龄的产铁量,两个指标均应同时达到本条的规定。某些高炉的大修情况见表28。

表28 高炉大修情况及单位炉容一代炉役的产铁量

厂名,炉号	炉代	高炉容积(m^3)	炉寿(d)	炉役开始时间	炉役终止时间	一代产铁量(万t)	单位炉容产铁量(t/m^3)	平均利用系数[$t/(m^3\cdot d)$]
R厂,1	1	4063	3853	1985.9.15	1996.4.2	3229.7	7949	2.064
R厂,2	1	4063	5538	1991.6.29	2006.8.31	4718	11611	2.096
R厂,3	1	4350	6920	1994.9.20	2013.8.31	6829	15700	2.27
N厂,5	1	3200	5704	1991.10.19	2007.5.30	3551	10966	1.945
K厂,1	1	2536	4094	1994.8.9	2010.8.31	3380	13328	2.27
K厂,3	1	2536	4527	1993.6.2	2010.8.31	3548	13991	2.22
K厂,2	2	2100	—	1992.5.15	2007.12.31	2618	12467	2.18
W厂,4	1	1350	5302	1989.9.25	2004.4.1	1282	9496.3	1.791
C厂,2	2	1250	3913	1986.12.27	1997.9.12	877.7	7022	1.795
C厂,1	2	1080	3602	1986.1.15	1995.11.25	753.6	6978	1.937

到2013年底大于1000m^3高炉已有超过30座炉役寿命超过8年。目前已有4座高炉一代寿命超过15年和单位炉容产铁量已经超过12000t。

高炉大修时,为保证各设备及主要建构筑物与高炉寿命相匹配,宜对利旧的设备、设施、结构和主要管线进行评估,不合适时应及时更新。

8.0.2 高炉长寿是一项系统工程,要注重整体的长寿优化设计,进行全方位的改进,实行综合治理。高效冷却设备与优质耐火炉衬的有效匹配,确保高炉各部同步长寿;优良的设计还需要有高质量的施工质量来实现;使用质量稳定的优质原料、燃料,保证高炉生产稳定顺行;在降低燃料比的前提下取得高产;采用有效的监测和维护手段是实现高炉长寿的重要保证。

8.0.3 炉缸是高炉长寿的关键部位,近年来高炉炉缸寿命的状况不容乐观。炉缸传热体系的建立,在炉缸耐材热面形成稳定的保护层,将铁水与耐材有效的隔离,是防止炉缸耐材过度侵蚀的关键。炉缸炉壳与冷却设备、冷却设备与耐材、不同耐材间存在大量的传热接触界面,这些界面结构设计不合理、材料选择不当、施工质量不可靠,就很容易导致炉缸传热体系的失效,从而导致炉缸过早出现异常侵蚀。因此本规范倡导采用界面少、简单易控、容易保证施工质量的炉缸结构设计。欧洲、北美高炉广泛采用的槽板冷却方式,冷却效率高、环境好、炭砖和冷却水间的传热界面少、炉壳开孔少,是很好的炉缸配置方式,值得推广应用,国内昆钢采用了该方式,使用效果良好。

高炉冷却设备也是决定高炉一代寿命的关键,特别是高炉炉腹、炉腰和炉身下部。20世纪90年代以后,国内外已广泛采用了铜冷却壁,对延长高炉寿命起到了较好的效果。

铜冷却壁的导热性好,冷却强度大,冷却壁体温度均匀,表面工作温度很低,能快速形成稳定的渣皮,淡化了高炉内衬的作用,有利于采用薄壁结构,有利于实现高炉长寿。近年来,已发现在多座采用铜冷却壁的高炉上，铜冷却壁发生了不同程度的烧损和漏水现象，铜冷却壁的长寿效果有待进一步的实践检验。铸钢冷却在高炉上的应用也取得了较好的效果，由于采用较好的铸造工艺，在保证水管不被熔漏的情况下，较好地将水管与本体融合在一起，显著增加了冷却壁的传热能力，使得其在高炉上获得了良好的长寿效果。R 厂 3 号高炉为全铸铁冷却壁的高炉，实现了一代炉役近 19 年的炉役寿命，取得了卓越的长寿高效的成果。实践证明，良好的设计、良好的设备质量以及良好的操作维护，高炉就可以实现长寿的目标。由于国内各大高炉采用的炉体冷却结构不尽相同，使用效果表现不一，本规定意在强调优选冷却结构方式。

8.0.4 软水密闭循环冷却技术在我国得到了较好的发展和推广应用，获得了较好的使用效果。从节约用水和高炉长寿出发，本规范推荐采用软水密闭循环冷却；从节约投资出发，设计也可根据水源、水质情况选用工业水开路循环冷却。高炉冷却水的余热利用正在开发研究过程中，对节能减排可发挥一定的效果，有条件的高炉可以酌情采用。

8.0.5 不同容积的高炉和高炉的不同部位应选用不同的耐火材料。提高炉缸、炉底和炉身中、下部砌体质量是延长高炉寿命的重要条件。

20 世纪 80 年代以后，我国高炉炉缸、炉底采用综合炉底，对结构和冷却进行了改进，寿命大幅度延长。R 厂 1 号（第一代）、2 号高炉炉缸炉底采用日本炭砖，炉底设陶瓷垫；N 厂 5 号高炉采用日本炭砖，炉底设陶瓷垫；H 厂 5 号高炉、O 厂新 2 号和 3 号高炉、K 厂 1 号和 3 号高炉及 R 厂 3 号高炉采用了热压小块炭砖，炉底设置陶瓷垫，不少高炉都达到了长寿的目的。但是也有不少高炉在开炉没有几年就出现了炉缸耐材温度升高的问题，甚至导致炉缸烧穿事故。良好的炉缸结构设计、优质的炭砖质量、良好的施工和操作维护，是保证炉缸实现长寿的关键环节，应系统研究和有效控制。

碳化硅砖具有导热系数高，抗热震性好的特点，适宜在炉体中下部使用。

8.0.6～8.0.7 大型高炉用炭砖、SiC砖对延长高炉寿命极为重要。目前，耐火材料标准理化性能指标不全，甚至缺少一些极为重要的指标，难以满足本规范中对高炉长寿的要求。因此，本规范中根据工艺特点提出应增加的一些主要性能项目要求，今后修订耐材标准时应该考虑。理论与实验表明，当气孔直径$<1\mu m$时，铁水几乎不产生渗透，微孔炭砖和超微孔炭砖是通过降低炭砖的气孔率和缩小气孔大小，以抵抗铁水和碱金属的渗透以及各种化学侵蚀；高压成型、高温焙烧使其具有优良的抗压强度和导热系数，因此提出“微孔率”指标。

8.0.9 高炉风口数目应综合考虑高炉的入炉风量、鼓风动能、风口回旋区的大小和炉壳的受力状况来确定。

8.0.10 炉缸气隙是影响炉缸长寿的重要因素，为有效抑制炉缸炉墙中的气隙，在设计和施工中就要综合考虑，提出明确要求，控制施工质量。当前部分高炉的捣料缝设置不当和施工质量未得到保证，导致高炉过早出现了问题。炉缸炭砖和冷却设备间的捣料层厚度应均匀设置，不得作为调整施工误差的手段，捣料缝过窄和上小下大的三角缝均不利于捣料的施工，难于保证施工质量，容易导致传热界面失效，出现气隙，影响炉缸的长寿效果。

8.0.11 高炉烘炉是当前最容易被人们忽视的环节，往往缺乏明确的烘炉标准，各厂没有依据可遵循，致使烘炉没有达到目的，给高炉的长寿留下了隐患。炭砖是容易受到水汽伤害的，良好的烘炉不仅可有效排出炉缸耐材中的水汽，还能够使炭砖预膨胀、使炉墙更加密实、防止炉墙产生气隙。良好的烘炉还能够使炉墙尽快建立良好的传热体系。调查发现，很多高炉由于烘炉时间不够，在烘炉结束时，炉缸象脚区域的耐材温度仍是常温或约有升高，未能达到烘炉升温的目的，致使较多的高炉投产后过早在象脚区域出现耐材温度急剧上升的情况发生。为规范高炉的烘炉行为而制定了本规定。

8.0.12～8.0.14 十字测温可良好地反映炉喉煤气流的分布，为高炉的布料操作提供良好的信息反馈，十字测温的温度点布置宜按炉喉半径方向均匀布置，以便于同类型高炉间的参考；炉缸关键部位必要的温度监测是炉缸操作安全的需要；风口摄像装置可帮助操作人员及时全面掌握风口回旋区的工作状况，及时把握和调整炉况；炉缸热负荷检测和侵蚀模型是炉缸操作安全的需要，特别是对中后期的炉役。煤气成分的检测，有利于操作人员掌握煤气利用率的状况，为改善气流分布实现节能减排创造条件。本规范推荐采用这些行之有效的检测设施。

8.0.15 铁口和主沟漏铁时有发生，所漏铁水遇到炉台下的积水会发生爆炸事故，将炉体的给水环管烧坏会导致冷却壁的大面积停水，使事故扩大化。因此，出于安全的考虑，应避免在容易漏铁的位置布置给排水环管，或应采取必要的防护设施。

8.0.16 高炉炉顶煤气温度在炉况失常时会异常升高，为保护炉顶设备、结构和煤气处理设施，应设置自动洒水设施，辅助控制炉顶煤气温度。打水装置应能够将水雾化，提高降温效果，洒水应间断进行，应防止炉喉积水导致爆炸事故。

9 风口平台及出铁场

9.0.1 铁钢界面采用一罐制运输工艺，有利于节能减排和保护环境，近年来很多钢铁厂已经广泛采用了，取得了良好的效果，因此，本规范推荐采用铁水运输一罐制工艺。

9.0.2 当出铁口的操作、维护良好时，一般每个出铁口的昼夜出铁量约3500t。新建1000m^3级高炉采用2个出铁口能减轻炉前作业强度。而出铁场数目是影响总图布置、占地面积和投资的重要因素，从节约用地的角度出发，1000m^3级高炉采用2个出铁口，也可设一个出铁场。

国外高炉随着炮泥质量的提高，改善了出铁口的维护，延长出铁时间和每次铁的出铁量。生产实践证明，高炉有减少出铁口数量的趋势，如君津4号高炉第一代炉容4930m^3采用5个出铁口，第二代为5150m^3高炉出铁口数量改为4个，第三代为5555m^3仍为4个出铁口；福山3号高炉和君津2号高炉为3000m^3高炉，大修时将出铁口数量由3个改为2个；沙钢5800m^3高炉只设置了3个铁口，实践证明完全可以满足高炉生产的需要。新建高炉出铁口数目应与炉容和每个铁口所能承受的日出铁量相适应，尽量减少出铁口的数目。

目前大多数高炉的吨铁渣量为350kg/t左右，已不放上渣，所以没有必要设置渣口。若采用复合矿冶炼时，可设渣口。

N厂3号1513m^3高炉，经大修后，设有2个铁口，1个渣口，1个出铁场，两个出铁口呈40°布置。由于入炉矿品位提高，渣量减少，一般堵铁口50min后，才来上渣，且渣中带铁多，放渣速度慢，放上渣量只有30t左右。另外，渣口容易损坏，平均每月坏渣口11.4个。渣口损坏后，严重影响生产。经过研究后，决定加强铁口维护，不放上渣，实践证明是可行的。K 厂 4 号 2100m³高炉设置 2 个铁口，还设有 1 个备用渣口，自 1992 年投产以来，连续生产 15 年，该备用渣口从未使用过。

9.0.3 我国大多数高炉，采用矩形出铁场、矩形框架。有 2 个以上出铁口的高炉也可采用圆形出铁场，均可保证出铁口间的夹角在 60°～120°之间。铁口夹角过小，炉前操作维护环境差，对炉缸长寿也带来不利影响。

9.0.4 新建或改造的高炉，都采用了液压泥炮、液压开口机。除了要求提高泥炮推力和开口机的能力以外，建议增加检测和自动化的功能，以加强对出铁口的监控和维护。

对于大于 3000m³高炉要求减少出铁次数，控制出铁速度，延长出铁时间。高质量的炮泥对出尽渣铁，确保铁口深度有重要作用。

R 厂投产近 30 年来不断调整炮泥的配料，改善炮泥质量，在高产、高压、低硅的生产条件下，日出铁次数控制在 12 次～14 次。

N 厂 5 号 3200m³高炉，1991 年建成投产，随着生产的发展，原配置的电动泥炮、开口机不能满足生产要求，后来更换为 BG—500 液压泥炮，并对原开口机不断改造，满足了生产要求，并开发和使用了高强度的铁口炮泥。通过研究，又成功开发出一种高强度的环保型树脂铁口炮泥，消除了沥青所造成的污染，它在保证铁口深度、铁口稳定性、出铁速度、铁口可钻性和可塑性方面，均可满足 0.25MPa 炉顶压力的要求。

M 厂 1 号 2500m³高炉用炮泥质量控制出铁，根据高炉生产情况不同，渣铁流速度要求不同，以及随着季节的变化，对炮泥马夏值进行调节，优化出铁操作。

N 厂 6 号 3200m³高炉，出铁场设备的控制采用了便携式遥控器、操作台和现场操作箱三种操作控制形式，提高了炉前设备操作的自动化水平。

9.0.5 自 20 世纪 90 年代以来，N 厂、K 厂、O 厂、R 厂、P 厂等都

采用了固定主沟，有利于延长主沟寿命。采用了摆动流嘴，缩短了支铁沟的长度。主沟内衬用浇注料现场制作，在浇注设备难于工作的位置采用了预制沟，接头处采用捣打。R厂1、2号高炉曾经使用过活动主沟，目前均已改为固定主沟。

R厂高炉的浇注料的固定主沟一次通铁量达12万t以上。

N厂为满足4号2516m^3高炉2个铁口和2条主沟的炉前操作要求，成功开发出一种高强度的快干浇注料，硬化时间由原来的200min以上缩短为40min～60min，抗热爆裂温度提高到550℃以上，从而收到快干效果，满足了生产要求。随后，为解决在浇注过程中的偏析问题，又研制成功自流快干浇注料，减轻了操作人员的劳动强度，降低了噪声污染，满足了高炉强化冶炼要求。

M厂1号2500m^3高炉用浇注料制作泥套取代原来使用捣打料制作的泥套，改进后的工艺具有易喷补、黏结好、成型快、修补时间短、强度高的优点。

9.0.6 风口平台和出铁场的起重设备及专用机械，包括主跨和副跨起重机、悬臂起重机、主沟沟盖揭盖机等。由于采用固定主沟主跨起重机不应考虑整个主沟（包括耐火材料）的起吊荷载，可能的最大载荷将是吊装凝铁后的摆动溜槽的载荷。

9.0.7 由于采用固定主沟，在原地修理，出铁场内不必考虑主沟修理场地，为减少出铁场面积创造了条件。

9.0.8 扩大风口平台面积，方便更换风口操作。目前K厂、T厂6号高炉、O厂新1高炉，以及新建的一批高炉均加大了风口平台面积，特别是在出铁口上方设置了活动平台，方便检修。

9.0.9 为加强计量、控制和核算，大于2000m^3高炉一般在炉前每个罐车停放位置下设置铁水计量设施，小于2000m^3高炉也可以集中设置铁水计量设施。

9.0.11 为改善操作人员的工作环境，应配置必要的生活设施。2010年2月，国内某高炉热风管道事故造成了下方值班室内的人员伤亡事故，因此不应在热风主管下方设置操作室和休息室等有人值守的房间。为保证操作人员的生命安全，操作室、休息室应避免正对铁口和设置在热风主管下方。

9.0.15 较大的主沟断面积可降低渣铁流速，降低渣铁对沟衬的侵蚀，较厚的工作衬厚度有利于延长主沟寿命。

10 热 风 炉

10.0.1 热风炉的设计指导思想是尽量提高热风炉热效率，降低燃料消耗，提高热风温度。这是高炉炼铁技术的重要内容，是降低能耗，创建资源节约型企业的重要手段。

提高热风炉系统热效率应从以下几个方面入手：一、合理的热风炉结构设计，减少热损失；二、回收热风炉废气余热；三、采用高效陶瓷燃烧器。

10.0.2 目前国内一些热风炉热风温度已经达到1200℃～1250℃的水平，对降低焦比，增加喷煤量起到了很好的作用。但是风温也不能无限制的增高，当今低 NO_x 燃烧技术尚未获得良好解决之前，高风温热风炉的风温上限值应根据各自的实际情况控制在1250±50℃为宜，而且拱顶温度不应该超过1400℃。

因为热风炉拱顶温度≥1420℃时，高压操作之后燃烧产物中 NO_x 急剧增加，NO_x 与 H_2O 相遇将生成硝酸，从而导致炉壳出现严重晶间应力腐蚀。

根据我国执行的WHO过渡目标-1，要求PM2.5年平均≤35μg/m³，24小时平均≤75μg/m³，在PM2.5指标中有相当大部分来自于硫氧化物、氮氧化物的排放，热风炉的氮氧化物排放浓度虽然尚未超过我国大气污染物的排放标准，但其绝对排放量却十分庞大不容忽视。

提高热风温度给高炉带来的节能效果是与风温水平有关的，使用的风温水平越高，高炉节能效果的增幅越小，热风炉为了加热鼓风需要付出的热量除了与空气的比热有关外，还与吨铁耗风量和热风炉系统热效率有关，由于空气的比热随温度的升高而加大，因此加热鼓风需付出的热量是呈抛物线形增长，这是人为因素不可改变的，同时吨铁鼓风需要量越小，热风炉的热效率越高，热风炉需付出的热量便越少。综合二者的变化，高炉所获得的综合节能效果随着风温的增高而减小，甚至在一些吨铁耗风量大且热效率低的热风炉上综合节能效果出现负值是可能的。

我国一些专家认为，为了控制热风炉 NO_x 的排放量达到防止晶间应力腐蚀和减少对大气环境的污染，我们的基本立足点应将高风温热风炉的拱顶温度控制在1400℃以下。

为提高热风炉系统的热效率，应采取有效措施回收废气热量，使排放废气温度控制在150℃以下。从综合节能效果考虑，热风炉系统的热效率不应低于80%。

10.0.3 提高拱顶温度是提高热风温度的有效途径，掺烧高热值煤气是提高拱顶温度的最简单易行的办法，有条件的厂家，如果高热值煤气充足，尽量掺烧高热值煤气。

为了提高风炉风温、热效率，应采用空、煤气双预热的方法，从而达到节能减排的效果。

10.0.4 我国重点钢铁企业2009年、2010年、2011年、2012年和2013年的年平均热风温度分别为1158℃、1160℃、1179℃、1183℃、1169℃。较21世纪初提高了约90℃。

热风炉的型式和座数影响投资较大，国内外高炉均有采用3座或4座热风炉的实例。国内一般中小型高炉采用3座热风炉居多；而大型高炉却采用4座热风炉居多。但是在德国，内容积大于 $2500m^3$ 高炉均采用3座热风炉，甚至内容积最大的施维尔根2号高炉（$V_w=5513m^3$）也不例外。

顶燃式热风炉的燃烧器布置在热风炉顶部中央，结构对称性好，烟气分布均匀，占地面积小；炉内空间利用充分，耐火材料和钢材的耗量少；顶燃式热风炉用耐火材料国内配套已经基本完善；热风管道普遍存在的问题已经得到解决；不出现燃烧脉动现象，减少了晶间应力腐蚀出现的可能。顶燃式热风炉具有热效率高和风温高的优势，适合我国国情，应广泛应用。

10.0.5 热风炉蓄热面积及格子砖重量与燃烧和送风周期、操作制度、烟气流速、废气温度等因素有关，蓄热面积和砖重过大，将导致基建投资增加，过小将影响热风温度。因此，一般应根据条件计算确定。设计原则应是适当提高拱顶温度和废气温度，适当缩短送风周期，减少混风，适当缩小格孔直径，余热利用，有助于减少蓄热面积和砖重。

我国单位炉容的热风炉蓄热面积比欧洲和日本高很多，国外单位炉容的加热面积多为 $60m^2/m^3$～$80m^2/m^3$ 之间，还有一批高炉小于 $60m^2/m^3$。

热风炉蓄热面积及格子砖重量是热风炉基建费用和热风炉性能的重要参数，近年来国内生产实践证明，通过缩小格孔直径，可以在保证必要的单位风量砖重条件下，尽可能加大蓄热面积，达到减小拱顶温度和送风温度差值的目的。

靠增大热风炉蓄热面积来提高热风温度的办法是不全面的。因为决定风温高低不仅仅是依靠蓄热面积，还要依靠热风炉的蓄热能力。因此在单位炉容蓄热面积 $65m^2$～$75m^2$，甚至蓄热面积更低的条件下，改善热风炉操作，例如缩短换炉周期，就能获得高风温。

R厂3和4号高炉单位炉容蓄热面积分别为 $70m^2$ 和 $68.1m^2$，风温达1220℃～1250℃。

10.0.6 热风炉实现高风温、长寿，耐火材料质量是最重要的条件。热风炉不同部位对耐火材料性能的需求是不相同的，应根据使用部位的特点，采用不同型号的耐火材料，理化性能指标应不低于相应的国家标准。耐火材料蠕变性能是表示耐材在温度和应力长期作用下的变形趋势，是衡量耐材承受热风炉工况条件的一个重要指标，应根据相应国标规定，严格执行。

10.0.7 热风炉炉箅子、支柱长期承受高温荷载，及周期性温度波动的作用，工况条件较为恶劣，因此须严格控制热风炉烟气温度，使之低于炉箅子及支柱的最高安全工作温度。

鉴于提高废气温度可以获得良好的效果，设计中应尽可能改进炉箅子结构和材质，以达到进一步提高废气温度的目的。为保证炉箅子的使用安全，规定了450℃的温度上限。

近年来国内大量热风炉使用了耐热铸铁炉箅子，燃烧末期的最高废气温度长期维持在400℃以上，获得了良好的效果。提高废气温度不但能提高预热后的空、煤气温度，从而提高拱顶温度，同时也能强化底部格子砖的换热、提高蓄热效率，更有利于提高风温。

10.0.8 目前国家对大气污染特别关注，热风炉不但要满足自身工作需要同时还要满足废气排放有关国家标准规定。

10.0.10 煤气压力过低，会使热风炉燃烧器的燃烧不稳定，严重时还会产生回火，对燃烧器造成破坏。

11 渣铁处理

11.1 炉渣处理

11.1.1 目前，新建高炉一般采用底滤法、轮法、螺旋法、英巴法等在炉前冲制水渣（特殊矿渣除外）。冲制水渣的设备均能保证水渣的质量，玻璃化程度可以达到90%～95%，水渣平均粒度为0.2mm～3.0mm，水渣含水≤20%，应尽量提高冲渣设施的脱水能力，减少渣中带水。在选择炉渣粒化装置时要考虑选用节约用水、满足环保要求的工艺。冲渣水全部循环使用，不外排污染物，以保护环境。

11.1.2 高炉炉渣冲制成水渣是综合利用的好方法，目前已经普遍用于水泥原料，先进的高炉水渣作业率已经达到了100%。新建或改造高炉水渣设施的能力，应能满足全部高炉炉渣冲制水渣的要求。在此情况下，仍需设置干渣处理设施或渣罐运输等备用设施，以满足开炉初期和水渣设施检修时高炉的正常操作。此时产生的干渣，大多数厂用于做道碴等铺路材料，也已得到了充分利用。有条件的高炉可以尝试和开发其他炉渣综合利用的工艺。

11.1.3 目前，新建或改造高炉炉前冲渣点一般设在出铁场外边缘，在此处设有操作平台、检修用单轨吊车、排烟罩、双路走梯等必要的安全设施。

11.1.4 冲渣水含有大量的热量，可根据具体情况合理利用。目前较典型的方法是将冲渣水经适当处理后用于采暖。

11.2 铸铁机及修罐设施

11.2.1 铁水的高温辐射会对结构的可靠性造成不利影响，需要考虑必要的防护措施。

11.2.2～11.2.4 铸铁过程中会产生大量的粉尘，为保护环境和改善操作条件，应设置必要的除尘设施。操作室的设置应保持良好的视角，便于观察铸铁过程，保证铸铁操作的正常可靠。

11.2.5 铸铁机链带上容易黏附铁块，黏附铁块容易脱落，为保证安全，需要设置必要的防护。

11.2.6、11.2.7 热罐修理环境差、温度高，采用通风降温设施以提供合适的工作环境。

11.2.8 铁水包砌筑完成后，泥浆需要烘烤才能具备足够的强度，只有烘烤到足够的温度后，才能去接铁水，否则冷罐遇高温铁水，耐材会炸裂脱落，导致安全事故。因此应根据烘烤时间和铁水罐数量的需要配置烘烤罐位。

12 煤粉制备及喷吹

12.0.1 提高喷煤比是高炉炼铁的技术发展方向，高炉喷煤是改变高炉用能结构的关键技术，是一项有效的节能措施。高炉以煤代焦，可以缓解焦煤的资源紧张状况，降低生铁成本。国内外都在发展这项技术。我国从20世纪60年代开始发展喷煤技术，随着喷煤技术的发展，一些企业相应增加富氧量，取得了良好效果。R厂富氧2%左右，每吨生铁的喷煤量已达到200kg/t以上；O厂、N厂等企业喷煤量也达到160kg/t铁以上。从节能考虑，将此条列为强制性条款。

12.0.3 高炉喷煤技术是一项综合性的技术。提高喷煤量必须提高原燃料的质量、热风温度、富氧率、炉顶压力，以及相应降低鼓风湿度。一般来说，无烟煤固定碳高，喷煤后置换比高；烟煤挥发分高，燃烧性能好；喷吹混合煤既可提高置换比，又能提高煤粉的燃烧性能。

R厂采用了脱湿鼓风，脱湿鼓风对提高喷煤的效果是显著的。

高炉喷煤量应根据原料、燃料质量和富氧条件来确定。喷煤设施能力的确定应根据高炉的喷煤量合理确定。

R厂2000年至2004年实际生产中，在富氧率2%～3%时，每吨生铁的平均喷煤量达到200kg～260kg。R厂2号高炉受喷煤设备能力的限制喷煤量较低，平均富氧率接近2%，平均喷煤量达到170kg/t。

图17统计2004年至2012年期间国内大部分高炉的风温、喷煤比、富氧率生产指标的发展变化，根据该统计结果，确定了本标准条文中表12.0.3中的数据。近年来随着高炉生产的产能加大，高炉生产用的原、燃料理化指标有所劣化，降低了高炉消化煤粉能力。

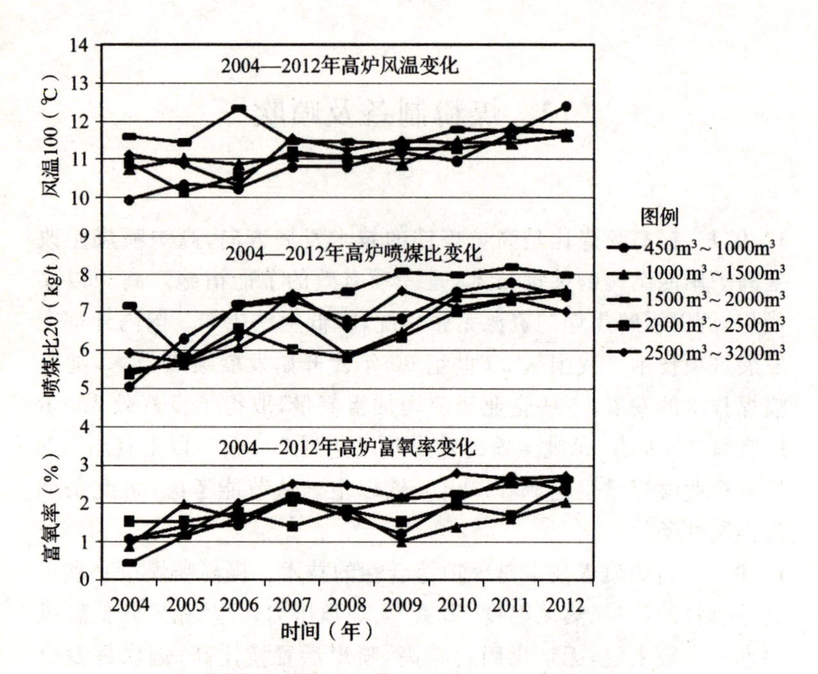

图 17　随年代富氧率、煤比、风温变化曲线

在冶炼条件超出本规范第 12.0.3 条的规定范围时，可通过计算风口前的理论燃烧温度值来确定。风口前的理论燃烧温度宜为 2200℃±50℃。

12.0.4　由于增加吨铁喷煤量是一项系统工程，而增加喷煤设备的能力比较容易，实际上除了各方面条件好的高炉一段时间内能够达到每吨生铁的最高喷煤量 220kg/t 外，绝大多数高炉还存在差距，因此作了富裕率的限制。

12.0.5　本规范采用粉煤喷吹，过去对细磨煤粉的粒度沿用发电厂的要求：小于 200 网目（74μm）大于 80%。本规范做了调整，欧洲一些国家要求煤粉粒度大于 90μm（R90）的宜为 20%～25%。为此对煤粉粒度的要求做了适当放宽。

C 厂、R 厂等厂的煤粉粒度见表 29、表 30。

表 29 C厂的煤粉粒度

网目							备注
<40	40～60	60～120	120～140	140～180	180～200	>200	
0.04%	0.57%	1.36%	5.84%	9.54%	22.15%	61.00%	

表 30 R厂煤粉粒度

网目					备注
>50	50～100	100～200	200～325	<325	
1.3%	16.9%	63.1%	16.2%	2.4%	

电力行业煤粉制备设备参数中对煤粉细度的表示方法是:煤粉经专用筛子筛分后,余留在筛子上面的煤粉量占筛分前煤粉总量的百分比,以R_x表示。

综合上述,煤粉细度 $R_{90}=20\%\sim25\%$,煤粉水分不大于1.5%。

12.0.6 制粉、喷吹合并的集中喷吹系统,不仅节省基建投资,节约能耗,也可简化操作和维修。目前国内外很多企业采用这种流程,因此,本条规定制粉间布置尽量靠近高炉,实现一次直接喷吹流程。

12.0.7 煤粉仓主要是考虑制粉设备出现故障时起缓冲作用。在制粉设备出现故障时,煤粉仓容量应能满足高炉4h～6h喷煤量的需要。

12.0.8 喷吹罐为高压容器,其容量在满足倒换罐的条件下,应尽量小一些。目前已经提高了喷煤系统的自动化水平,煤粉在喷吹罐内的流化状态改善,喷吹时间倾向于按25min设计。R厂1号高炉喷吹罐的容量只考虑了满足喷吹17.3min的要求。

12.0.9 为保证高炉圆周方向的气流分布均匀性,应控制风口间喷吹煤粉量的偏差,借鉴现有高炉的操作经验,提出了主管流量偏差和支管分配偏差的要求。

12.0.10 制粉系统利用热风炉烟气,不仅可以利用烟气的余热达到节能的目的，而且可以利用烟气中的低氧特性保证制粉系统的安全；制粉烟气自循环氧含量也较低，管路更短，可酌情利用。

12.0.11 烟煤、混合煤制粉过程中的火灾危险性和粉尘爆炸危险性更高，应严格控制循环气体中的氧含量不超过11%，以保证系统安全。由于涉及生命和财产的安全，故本条作为强制性条款。

12.0.14 国内部分生产企业高炉煤粉喷吹的输粉浓度调查数据见表31。

表31 部分生产企业高炉煤粉喷吹浓度调查数据

公司名称	有效炉容(m^3)	喷煤量(t/h)	固气比(kg/kg气)
AC厂2号	3200	42	28
D厂4号	3200	46	32.6
AF厂5号	2300	45	15.2
AJ厂	1191	22	11.8
AE厂1号	2350	33	15.8
AE厂2号	2350	40	14.1
AE厂3号	2350	35	15.1
AG厂1号	1780	27.6	34.32
W厂1号	1200	18～20	22～25
W厂2号	1200	18～20	22～25
W厂3号	1200	18～20	22～25
W厂4号	1350	20～22	21～24
W厂5号	2000	28～32	32～38
AB厂1号	3200	58～63	15～24.5

13 高炉鼓风

13.1 高炉鼓风机站

13.1.2 鼓风站靠近热风炉可以减少冷风管路的长度，从而减少管路的阻力损失；远离高粉尘和高湿度区域使过滤器有良好的工作环境，避免因为灰尘在过滤器内板结，造成过滤器负压过大。

13.1.3 鼓风机是高炉的重要配套设备，它的安全性直接影响高炉生产，运行风机发生故障时，备用风机可向高炉供风，以确保高炉正常生产。

在建设工程，如原有鼓风系统已有备用鼓风机，且鼓风机参数与新建鼓风机参数相近，两个鼓风站总图位置利于布置冷风管道，则可以由原有鼓风系统提供备用冷风，但当原有鼓风机系统鼓风机参数与新建鼓风机参数相差较大时，宜设置备用风机。

轴流鼓风机的调节范围大且灵活，能够很好满足高炉炉况的要求，且运行效率高。

13.1.4 运行鼓风机突然故障停机时，该鼓风机对应的高炉会发坐料事故，造成高炉停产，设置拨风装置，可以从其他运行的鼓风机分配一部分冷风给该高炉，达到避免或减轻坐料时导致风口灌渣事故的发生，确保运行鼓风机故障状态下高炉的安全休风。

13.1.5 季节变化和每天的大气湿度都会有较大的变化，湿度的变化会影响风口前端理论燃烧温度的变化，给喷煤和炉况的稳定带来不利影响，因此需要稳定高炉的鼓风湿度。采用调湿措施，使鼓风湿度稳定在一个合理的水平，有利于高炉实现低燃料比操作。

全年大气湿度高的地区宜设置脱湿装置。根据喷煤量和当地气象条件综合评估确定脱湿器出口空气含湿量。喷煤比在160kg/t及其以下时，鼓风湿度宜为全年冬季平均湿度的上限值。

夏季宜采用脱湿鼓风、冬季宜采用调湿的鼓风模式。

13.1.6 年平均工况点放置在高效区域内，能为高炉选择一个合理的鼓风机，可以降低投资和运行费用。鼓风机运行工况指由 A、B、C、D、E、F 各个工况点闭合组成的区域，见图 18。在进行鼓风机选型时，鼓风机高压运行线 D—E—A 需在鼓风机组防踹振线及压力控制线以内，并留有一定富裕。鼓风机组常压运行线 B—F—C需在鼓风机防阻塞线以内，并留有一定富裕。鼓风机组大流量运行线 A—B 需在鼓风机初级叶片的阻塞线以内，并留有一定的富裕。鼓风机组常压小流量运行点 C 点应在机组旋转失速以外，并留有一定富裕。E 点是由最大炉腹煤气量确定的鼓风机最大入炉风量确定；E_0 是由高炉常年运行的炉腹煤气量确定，即鼓风机正常富氧率、正常脱湿情况下的常年运行点，并应保证 E—E_0 工况点在鼓风机的高效运行区域以内。A 点为在 E 点的基础上，增加热风炉充风量决定。

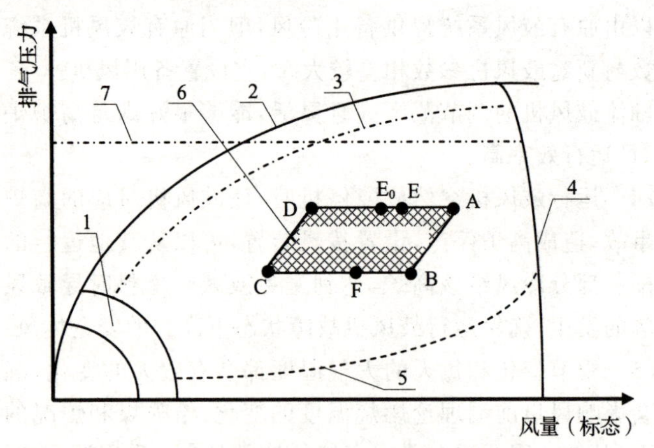

图 18 风机运行工况点

1—旋转失速区；2—喘振线；3—防风线；4—初级叶片阻塞线；

5—防阻塞线；6—轴流风机运行工况线；7—压力限制线

高炉实际日最大风量和所调研时期的最高日平均风量(包括高炉冷风流量计到高炉的漏风损失)见表 32。

表 32 一些高炉实际日最大风量和所调研时期的最高日平均风量

代号	炉容 (m^3)	研究的起至日期		积利用系数 [t/(m^3·d)]	燃料比 (kg/t)	富氧率 (%)	平均风量 (m^3/min)	日最大风量 (m^3/min)
		起	止					
E1	1000	2013.7.1	2013.12.31	2.284	543.2	0	2202	2318
X3	1080	2013.10.1	2014.3.31	2.21	550.9	1.17	2114	2270
X4	1800	2013.10.1	2014.3.31	2.645	521.4	2.82	3735	3843
T1-2	2000	2012.1.1	2012.12.31	2.302	535.0	2.73	4187	4381
T1-3	2000	2013.1.1	2013.12.31	2.294	535.4	2.85	4085	4242
T2-2	2000	2012.1.1	2012.12.31	2.277	539.6	2.65	4311	4618
T2-3	2000	2013.1.1	2013.10.31	2.277	534.6	2.68	4230	4385
G	2318	2010.1.1	2010.10.31	2.224	527.3	3.42	4109	4443
N2	2500	2014.1.1	2014.6.30	2.441	507.3	2.14	4786	4912
N1	2500	2014.1.1	2014.6.30	2.333	510.9	2.14	4627	4752
X1	2580	2013.10.1	2014.3.31	2.234	542.0	1.70	4796	5105
X2	2580	2013.10.1	2014.3.31	2.55	535.1	2.87	4684	4833
C1	2600	2014.1.1	2014.6.30	2.137	520.0	1.50	4856	4998
Q1	2650	2013.1.1	2013.12.31	2.32	509.8	1.20	4687	4726
Q2	2650	2013.1.1	2013.12.31	2.31	507.1	2.15	4569	4668
C2	2850	2014.1.1	2014.6.30	2.338	529.1	3.31	4850	5185
D1	2850	2014.1.1	2014.6.30	2.333	528.5	3.97	4524	4644
F	2908	2010.1.1	2010.10.31	2.268	513.4	3.61	4779	5040
T3-2	3200	2012.1.1	2012.9.30	2.195	532.0	3.23	6041	6335
T3-3	3200	2013.1.1	2013.12.31	1.831	570.7	1.80	5814	6326
T4-3	3200	2013.1.1	2013.10.31	2.421	577.5	3.42	6178	6221
N4	3430	2013.1.1	2013.12.31	2.248	489.5	2.44	5695	6000
Q3	4000	2013.1.1	2013.12.31	2.317	497.2	5.20	6199	6424
M1	4032	2013.1.1	2013.12.31	2.152	513.2	2.79	6547	6737
M2	4032	2013.1.1	2013.12.31	2.185	508.6	2.71	6687	6889
N5	4148	2013.1.1	2014.7.31	2.140	492.0	2.51	6414	6869
D2	4747	2014.1.1	2014.6.30	2.060	527.9	3.87	6218	6409
K	4747	2014.4.1	2014.8.20	1.927	510.2	3.63	6884	7337
J	5800	2014.7.1	2014.7.6	2.422	509.0	8.18	7716	7768

目前以及今后相当长的时期内，不会再强调高炉高产、高利用系数，而是转向满足全厂钢铁平衡方面，保证全厂均衡生产，使生产效益最大化。对于高炉炼铁来说，降低燃料比是贯彻高效、低耗、优质、长寿、环保的重要手段。

由表可知，除了个别燃料比高于本规范表4.3.1规定的2000m^3级高炉最大风量稍高于表21的范围以外，绝大多数高炉的平均风量和最大风量均在表21推荐的最大入炉标态风量和高炉鼓风机最大出口标态风量的范围以内。

13.1.7 汽动鼓风机主要是满足高炉冶炼工艺的要求，它的安全性至关重要，故汽轮机附属设备越简单越好，抽汽式汽轮机附属设备多，控制调节复杂，不适合用于鼓风机的驱动。

13.1.8 风机房与高炉中控室之间应交换的信号如下：

风机房向高炉中控室发出信号如下：风机正常、风机故障、风机放风、风压过高、紧急停风、风机复讯。

高炉中控室向风机房发出信号如下：全风（正常）、慢风、休风、紧急休风、复风、风机加风、放风、坐料、出铁、复讯、电铃、鸣响及转换开关、混风阀开关信号、热风炉换炉开始、热风炉换炉结束信号。

13.2 富氧鼓风

13.2.2 高炉富氧鼓风是高炉强化冶炼，提高产量，提高理论燃烧温度的日常调剂手段。但富氧鼓风主要受制氧的能耗高和氧气价格的限制，提倡低富氧，多喷煤，具体的富氧程度需要技术经济比较后确定。

关于富氧方式（机前富氧或机后富氧）也需根据具体条件确定。单独为高炉富氧新建的制氧机组，宜考虑靠近鼓风机站布置。

13.2.3 机前富氧6%的限制是风机设备厂方考虑设备因素提出的限制要求，为保证鼓风机设施的安全和富氧设施的安全制定了本规定。

13.2.4 高炉可以使用低纯度氧气，低纯度氧气的成本较低，但需全厂统一考虑。C厂采用了低浓度氧气，氧气含量为90%。U厂采用了变压吸附法制取低纯度的氧气。单独的氧气系统，有利于保证高炉的稳定富氧。

14　高炉煤气净化及煤气余压利用

14.1　高炉煤气净化

14.1.1　钢铁企业的能源来源由两部分组成，一部分是外购煤、电等；另一部分是由炼焦或冶炼过程转变产生的可燃气体。前者占钢铁企业总能源的55%左右；后者约占35%，数额很大，高炉煤气占据相当大的份额。回收高炉煤气的能量占炼铁工序能耗的40%～45%，自耗高炉煤气占总高炉煤气量的40%～50%，对钢铁企业的能源平衡和能源设施的配置影响很大。

准确计算高炉煤气的参数十分重要，如煤气发生量、温度、压力、成分、含水量等。应避免煤气量计算的偏差，影响企业能源设施的配置和高炉余压发电装置TRT的能力。

由于在计算煤气量时，与每吨生铁的耗风量有关，因此吨铁耗风量应准确计算。

14.1.2　考虑炉顶设备的安全，制订了炉顶温度的上限。正常操作时，煤气温度应小于250℃，超过300℃应采取炉顶打水措施。

14.1.3　随着炉顶压力的提高，煤气除尘器排灰时容易产生扬尘和煤气泄漏，应配置密封性较好且能够良好加湿的排灰装置，还可以设置排灰罐泄压排灰，应注意卸灰时的煤气安全。

14.1.4　高炉煤气干法除尘能使炉顶余压发电装置多回收30%左右的能量，因此本规范希望积极采用。从1974年至今，我国高炉煤气干法滤袋除尘工艺技术发展迅速，目前技术已十分成熟，使用效果也很满意。

采用高炉干式煤气除尘装置的基本要求：

(1)新建高炉应采用全干式煤气除尘设施，且同步建设干式TRT发电装置，不宜备有湿式煤气除尘。

(2)改建与扩建高炉，如原配套的是湿式煤气除尘装置，在有条件的情况下，经综合技术比较后，宜改建为干式煤气除尘装置，且同步建设干式 TRT 发电装置，不宜保留原湿式煤气除尘设施。

14.1.5 调压阀组是 TRT 控制炉顶压力的备用手段，在 TRT 不能正常工作情况下，由调压阀组执行对炉顶压力的控制。为保证炉顶压力的安全，调压阀组应能够与 TRT 进行良好的协调，以实施对炉顶压力的控制。在煤气清洗和 TRT 系统事故停电时，TRT 出于自我保护会马上关闭快切阀，如果调压阀组在事故失电情况下不能保证至少有一台及时开启，全部处于关闭状态，容易导致炉顶压力异常升高，从而发生煤气超压爆炸事故，因此作出了本条的规定。这里失电指失去动力和控制电源，失信指失去控制信号，失油压值失去驱动油路的油压。

14.1.6 煤气含尘量大会影响后续用户耐材的使用寿命。

14.1.7 氯离子对煤气管线及用户设施会产生很强的腐蚀危害，因此应得到有效控制。

14.2 高炉煤气余压利用

14.2.1 《钢铁产业发展政策》规定新建高炉必须同步配套高炉余压发电装置 TRT。高炉炉顶压力提高后，煤气余压能源应予回收。基于节能的要求，做此强制规定。

14.2.3 随着当今节能技术的不断发展和国家节能产业政策的要求，对高炉炉顶煤气能量的利用已不局限于传统技术成熟的煤气余压透平发电装置的运用(Blast Furnace Top Gas Recovery Turbine Unit，简称 TRT)，采用煤气透平与电机同轴驱动的炉顶煤气能量利用鼓风装置(Blast Furnace Recovery Turbine，简称 BPRT)技术正得到越来越多的推广运用，BPRT 机组通过将煤气透平和高炉鼓风机组的合建，使传统 TRT 系统取消发电机和发配电系统，将两个机组的自控、润滑、动力油系统合并建设，且将回收的能量直接作为旋转机械能补充在同轴轴系上，避免了能量转换的中间过程损失，使驱动鼓风机的电动机降低电流而达到节能的效果。为此，本次修编在原有的条文中增加了对 BPRT 的相应要求。

炉顶煤气能量回收鼓风装置(BPRT)，目前应用的技术还局限于高炉炉容≤2000m³级水平，推广至大型与超大型高炉还有一定的技术难度与风险，并未形成目前市场的主流工艺。炉顶煤气能量利用装置的设计应参照现行国家标准《煤气余压发电装置技术规范》GB 50584 的规定，还应符合《钢铁企业热力设施设计规范》GB 50569 的规定。

15 电气及自动化

15.1 电　　气

15.1.1 本条规定的负荷分级及供电要求是根据现行国家标准《供配电系统设计规范》GB 50052,并结合高炉炼铁生产实际情况制定的。

6 根据国家产业政策,新建高炉容积一般都在 $1200m^3$ 以上,其对应的电动鼓风机电机容量在 17MW 以上,属于大电机,且高炉鼓风机是本工艺系统关键设备,采用专用母线或专用降压变压器供电,可以提高供电可靠性。

8 同一物流工艺流程的各个用电设备如由不同的供电母线供电,则当供电母线检修时,将影响整个工艺流程的生产,故本文规定同一工艺流程上的用电设备宜接在同一段供电母线上。

9 本条规定参照《供配电系统设计规范》GB 50052 相关规定。

15.1.2 电力系统传统的模拟监视屏已趋淘汰,微机监控系统已得到普遍应用。监控系统的构成有两种方式:一种是按变配电所高压配电系统分别设置监控后台终端,监控本变配电所高压配电系统;另外一种是集中设置微机监控系统后台终端,监控高炉炼铁所有高压配电系统。第一种方式较分散,监控范围小;第二种方式比较集中,监控范围较大。采用何种方式宜由企业根据自身维护管理体制决定。

鉴于高炉炼铁高压配电系统用电负荷比较单一,近年来部分企业将高炉炼铁电力监控系统与炼铁工艺自动化控制系统进行了整合,不采用专用的微机监控网络及后台,采用炼铁工艺控制系统完成高压配电系统电能数据采集、监视和控制,降低了工程投资,但是，继电保护值的整定需要在保护装置上完成。

15.1.5 在固定式低压柜内部配电回路设置检修隔离设备(隔离)以形成明显断开点，是确保安全的措施。

高炉炉顶溜槽倾动变频调速装置是高炉生产的重要设备，为保证高炉的连续生产，规定炉顶溜槽倾动变频调速装置冗余设置。

15.2 仪 表

15.2.1 所选用的防爆电气设备的级别或组别，不应低于该爆炸性气体环境内爆炸性混合物的级别或组别，按照 GB 3836.1 的规定，各类防爆类型标志如下：

隔爆型 d

增安型 e

本质安全型 ia，ib

正压型 p

充油型 O

充砂型 q

无火花型 n

特殊型 s

电气设备分为两类：

Ⅰ类：煤矿井下用电气设备；

Ⅱ类：工厂用电气设备。

电气设备的防爆标志举例如下：

Ⅱ类隔离型 B 级 T3 组防爆标志为 dⅡBT3；Ⅱ类本质安全型 ia 等级 A 级 T5 组防爆标志为 iaⅡAT5。

采用一种以上的复合形式时，应先标出主体防爆形式，后标出其他防爆形式，如Ⅱ类主体增安型并具有正压型部件 T4 组防爆标志为 epⅡT4 主体防爆形式一般是指电气设备外壳的防爆类型。

对于只允许使用于一种爆炸性气体或蒸汽环境中的电气设

备，其标志可用该气体或蒸汽的化学分子式或名称表示，这时可不必注明级别和温度组别。例如Ⅱ类用于氨气环境的隔爆型：dⅡ(NH_3)或dⅡ氨。

对于Ⅱ类电气设备的标志，可以标温度组别，也可标最高表面温度，或两者均标出。例如最高表面温度为125℃的工厂用增安型：eⅡT5或eⅡ(125℃)或eⅡ(125℃)T5。

15.2.7 本条规定了仪表的动力设施设计要求。

油分在仪表气源中的存在对仪表的正常运行影响是很严重的。仪表气源中的油分主要来自压缩机的润滑油，所以，要减少气源中的油分含量，最好选用无油润滑空压机。但无油润滑压缩机也不是绝对不带油的，所以采用高效除油装置也非常必要。

由于气动仪表使用量越来越少，而用气主要集中于气动执行机构。对于一些不大的工艺装置，为了与工艺用压缩空气的压缩机组选型一致，便于维护和管理，节省建设投资，也可以选用目前国内外较先进的有油润滑空压机组。但是，要求仪表气源应单独构成系统，并增加保证仪表用气质量要求的高效除油、除尘和干燥装置，还应设置独立的储气罐。

气源质量的各项指标按现行国家标准《压缩空气　第1部分：污染物净化等级》GB/T 13277.1的规定选取的。

15.3 自　动　化

15.3.1 控制系统数据处理能力以CPU使用率来判断，CPU的平均使用率应小于50％。

15.3.2 过程自动化(L2)主要完成生产过程的操作指导、作业管理、数据存储和处理、报表、通信、数学模型与专家系统等。为了提高高炉的操作管理水平，满足企业信息化的要求，原则上都应设置高炉L2系统。

对推荐采用的数学模型和专家系统的说明如下：

配料计算模型是在满足炉渣碱度、焦比要求条件下，计算出冶炼规定成分生铁所需要的矿石、熔剂数量。采用该模型后,可保证高炉合理的造渣制度和热制度,从而使高炉冶炼获得合格的生铁和良好的技术经济指标。

最小燃料比模型根据炉内化学反应热平衡和物料平衡的原则,计算高炉实际燃料消耗情况,并给出不同还原情况下的燃料消耗情况,以及最优还原条件下的燃料消耗情况,用来指导原料配比和高炉操作,对提高能源效率,降低燃料消有重要作用。

间接还原模型主要用于计算 CO,H_2间接还原百分比、综合间接还原百分比,它是高炉燃料消耗,煤气利用率的一个重要指标,对高炉生产具有重要的指导意义。

质量和能量平衡模型是基于物质不灭定律,进行高炉质量平衡计算,有助于高炉生产技术经济分析。

出铁管理模型是根据炉内状况,计算炉内当前的渣、铁存量和液位,并估算出铁时间、出铁量等出铁渣数据,向操作员提供出渣、出铁指导。

炉缸侵蚀模型是以传热学定律为出发点,结合高炉炉缸的内型特征,建立高炉炉缸热传导方程,从而求解计算出炉缸温度分布,推断炉缸蚀情况,对生产管理人员了解炉缸侵蚀情况起到重要作用。

高炉专家系统能否成功实施,与原燃料条件、生产操作水平以及管理密切相关,因此是否上专家系统,由企业自身的生产管理水平和自身需要决定。

15.4 电　　信

15.4.1 重要的生产操作岗位(如中控室、鼓风站控制室、TRT 控制室、水处理控制室、调度室)应设置两种以上的通信装置(如自动电话、直通电话、指令电话等),重要的生产岗位与中央控制室应设置直通电话或具备直通电话功能的程控电话。

16 给水排水

16.0.2 中国是个水资源缺乏的国家，同时，又是水资源浪费比较严重的国家，因此，节约用水是关系我国可持续发展的紧迫任务。

钢铁冶金行业是工农业生产中的用水大户，高炉炼铁用水约占长流程钢铁联合企业用水量的13%，因此，高炉节约用水，是整个钢铁行业节约用水的重要环节之一。现行国家标准《钢铁企业给水排水设计规范》GB 50721 中规定了各生产单元的取水指标，其中对新建钢铁联合企业炼铁厂的取水指标为 0.8m^3/t，改、扩建钢铁联合企业炼铁厂的取水指标为 0.88m^3/t（取水指标与耗水指标之间的换算约为 1.2∶1）。

16.0.3～16.0.5 高炉炼铁根据用水性质的不同，分为设备间接冷却水、炉渣冲制用水、铸铁块冷却用水、煤气清洗除尘与除盐用水，以及生活用水、消防用水等。

设备间接冷却主要包括本体冷却壁、炉底水冷管、风口各套、热风炉阀门、各液压站设备、各种大型风机、TRT 等。间接冷却有闭路循环和开路循环，由于闭路循环具有动力消耗低、蒸发损失少的优点，针对用水量大、用户集中的对象如本体冷却壁、炉底水冷管、风口大中套、热风炉阀门等应采用此种方冷却式，分散用户、零星用户可采用开路循环系统。风口小套用水压力高（1MPa～2MPa），应独立或与其他高压用户一起采用独立循环系统，因小套的损坏概率高，如采用闭路循环系统，应考虑有一定水量的开路循环水备用。

本体冷却壁、热风炉阀门、风口大中套、炉底冷却水管等可考虑采取并联与串级相结合的循环冷却方式。

炉渣冲制采用独立的冲渣循环水系统，冲渣过程中产生的水蒸气应集中收集排放；冲渣水宜循环使用；厂区内水渣贮运过程产生的污水、旁滤污水、煤气清洗排污水等均应收集串接到冲渣水系统再循环使用。

铸铁车间的铸铁块冷却、煤气清洗除尘、煤气除盐用水应设置独立的浊循环水系统。

因高炉炼铁工程使用的生活用水量很少，生活用水来源应直接从外部接入，然后内部用管道送到各办公、生活用水点。消防用水应根据各消防点的特点进行设计。

应采取保证水质，提高循环水的浓缩倍数、减少排污和泄漏等非蒸发水量的措施。

高炉用水系统节能、降耗与生产工艺和设备直接相关。高炉工程设计，应大力推广使用煤气干法除尘，闭路循环冷却系统。在间接用户较多的循环系统，宜采用多台水泵工作，并将其中1台～2台泵设计为可变频调节水量供水，来满足生产工况变化时的水量调节，来达到降低水泵动力消耗的目的。

16.0.6 闭路循环系统使用的水质可以是软水、除盐水或纯水，但因除盐水、纯水的制水成本较高，且其电导率很低，限制了电磁流量计的使用。因此，闭路循环使用的水质宜采用软水。在钢铁联合企业内，采取统一制备除盐水或纯水的情况下，则闭路循环系统可以考虑使用除盐水或纯水。

开路循环一般采用普通工业水或工业净化水冷却，其缺点是水泵的动力消耗大、冷却效果相对较差、补水量多，只适合在少部分水资源特别丰富的地区使用。

16.0.7 适当提高炉体冷却的软水温度，可以在不降低冷却效果的情况下实现节约用水，可以提高二次冷却的换热效果，减少二冷水水量，达到节能的目的。这里的排水温度指的是系统回水的排水温度，不是冷却壁的单支管排水温度。考虑到脱气罐在炉体较高的位置，炉体热负荷较大的区域在炉腰和炉身下部，与脱气罐间存在约20m的水位差，存在较大的欠热度（表压200kPa压力下，水的汽化温度132.9℃)，如果炉腰部位的排水温度在70℃，仍存在约60℃的欠热度，即使考虑热量的不均匀性，局部达到90℃以上的峰值温度，也还有适当的欠热度，配合适当高的水速，可防止冷却壁水管内出现膜态沸腾而烧坏水管。因此，冷却壁足够的水速和排气顺畅是保证水管不被过早烧损的前提。

16.0.8 主供水管道敷设地下不易受外部因素的影响，可以提高管道运行的安全性。

16.0.9 本条为强制性条文。高炉为高温、高压设备，其安全生产离不开连续的冷却水，以保证人身和设备的安全。不断水措施主要依靠两种方式来保障：当采用软水、纯水循环系统供水时，需设置快速启动的柴油泵以保障不断水；当采用工业水循环系统供水时，需设置柴油泵和安全水塔以保障不断水。

16.0.10、16.0.11 高炉的安全供水系统主要靠柴油机泵来提供，这时高炉区域通常是处于事故状态，高炉应减风或休风，高炉的热负荷会下降，因此安全供水量只需要50％～70％即可。高位水塔是保证柴油机泵启动前的不断水的，要求柴油机泵在10s钟内启动，因此高位水塔的供水时间5min～10min可满足要求。

17 采暖通风

17.0.3 高炉矿焦槽、配煤槽、转运站的物料运输、筛分等生产过程中会产生大量扬尘，污染环境，故应设有除尘设施。当物料有一定容湿能力时，在不影响后续处理的前提下，可通过喷水雾来抑制扬尘的发生。

17.0.4 出铁场的铁口、摆动流槽或罐位是烟气发散的主要位置，其特征是粉尘量大、温度高、变化大、收集难度大，为保证除尘效果应采取必要的围挡封闭措施并设置除尘吸风罩。撇渣器处、渣沟、铁沟设置沟盖和吸风口，可充分保证出铁场的除尘效果，宜结合冶炼矿种和清沟维护强度合理设置。

17.0.5 铸铁的受铁槽、碾泥的转运点、解体场的倾翻位、机修的拆衬和烘干位在作业过程中都会产生烟气或扬尘，故应设有除尘设施。

17.0.7 除尘管道中易受冲刷部位主要指弯管及三通管。工程中使用较多的耐磨措施包括耐磨管壳、耐磨浇注料、耐磨铸石、耐磨陶瓷、碳化硅及加厚钢管壁等。控制抽风口的风速是为在防止粉尘突破封闭向外散逸的同时减少粉尘吸入量，从而降低管道积灰可能性，而控制管道内的风速有利于防止管道积灰，减小管道附加载荷，保证除尘效果和管网安全。

17.0.9 气体排放含尘浓度要求越来越高，对净化设备的粉尘收集能力提出更高要求。按目前净化设备的特性和制造水平，采用过滤阻隔机理的布袋除尘器能提供最低的粉尘穿透率，高炉厂区环境除尘的气体介质温度也在常规布袋滤料所能承受的范围内，故选用布袋除尘器更为经济合理。

18 节能及介质管线

18.0.1 在较多老钢厂吹扫用户采用非净化压缩空气，导致吹扫效果欠佳，气耗增加；动力用压缩空气采用非净化气会降低所驱动设备的可靠性。因此建议新建高炉工程压缩空气均净化处理。

18.0.3 钢铁企业的能源和资源消耗主要在高炉炼铁系统，同样约有70%的排放物来自炼铁系统，因此高炉炼铁工程设计应遵循环境保护设计的理念和指导思想。循环经济理念是一种新的经济发展模式，也是一种新的污染治理方式。设计必须重视从源头抓起，充分重视资源和能源的"减量化"——降低原料、燃料消耗。将"减量化"的理念在高炉的生产工艺、技术装备、技术经济指标和具体的设计中体现出来，才能提高资源和能源利用率，有效地降低污染物的发生量，降低"三废"治理的资金投入和运行费用，扭转污染末端治理产生的弊端。

资源和能源的综合利用是实施循环经济的主要手段之一，是"减量化"措施的下一个层次。首先要从源头抓起，在采用先进工艺不能"减量化"的条件下，再通过回收综合利用减小资源和能源的消耗，达到低消耗、低排放、减小环境不良影响的目的。

在我国钢铁工业产能高速增长的同时，能源增长的幅度低于产量增幅约5个百分点。说明钢铁工业对节能降耗作出了贡献。但是，在能耗方面与发达国家相比还有相当差距，国外主要产钢国家（英、日、法、德）2000年的平均吨钢可比能耗为642kgce。2004年我国重点钢铁企业平均吨钢可比能耗为705kgce，与主要产钢国家相比高出9.81%。2013年重点钢铁企业炼铁工序能耗为398.1kgce/t（电力折标准煤为0.1229kg/kW·h）。

我们钢铁工业节能必须以炼铁系统为重点。炼铁系统能耗占整个钢铁企业总能耗的70%左右，高炉炼铁工序能耗占总能耗的48%～58%。R厂2012年的炼铁工序能耗为394.4kgce/t。只有少数钢铁企业的炼铁工序能耗达到了世界先进水平。见表33、表34。

表33 重点钢铁企业炼铁工序单位能耗(kgce/t)

年　份	2010	2011	2012	2013
重点钢铁企业炼铁工序能耗	407.7	404.2	401.8	398.1

表34 大型高炉炼铁工序单位能耗(kgce/t)

厂名，炉号	高炉容积	2011	2012	2013
R厂1号高炉	4966	387.8	403.6	406.2
R厂2号高炉	4706	396.8	391.7	395.4
R厂3号高炉	4350	399.8	395.2	406.9
R厂4号高炉	4747	391.1	387.2	393.9
M厂A号高炉	4000	405	403	399
M厂B号高炉	4000	405	403	399
SG厂0号高炉	5800	371.8	370.4	351.6
B厂5号高炉	4350		408.6	370
SQ厂3号高炉	4000		394.9	399
JT厂1号高炉	5500	480.2	394.9	382.4
JT厂2号高炉	5500	422.6	387.6	381.2
OB厂1号高炉	4038	480.2	375.9	374.1
OB厂2号高炉	4038	387.2	385.1	379.5
H厂1号高炉	4747	380	397	386

在炼铁工序能耗中，支出项主要是还原剂——焦炭和煤粉等，以燃料比作为指标的消耗。回收项主要是高炉煤气和余压发电等回收的能量。工序能耗中的燃料消耗超过整个高炉的炼铁工序能耗70%，因此在炼铁节能和治理污染的源头，都必须紧紧抓住降低燃料比和焦比这个中心环节。

高炉耗用大量能量，应积极推广节能措施，加强节能管理。高炉又为整个钢铁厂提供二次能源，高炉煤气的平衡对企业的生产有重大的影响。

我国钢铁工业的电能消耗大（占总能量的16％左右），其中原因之一是我国钢铁企业利用余热、余能发电量低；其次是设备的选择富裕量大，设备效用率低，设备设计的节能观念不强。高炉设备设计和设备选择中应当采取多种节约能源的方案和措施。

目前我国资材消耗（如炉前炮泥、沟泥消耗，备品备件和材料的消耗）指标落后，引起维修费用的提高。R厂高炉的维修费用和资材的消耗与国外先进高炉相比有一定的差距。按照《钢铁产业发展政策》和《中华人民共和国节约能源法》中的规定，节能项目必须与主体工程同时设计、同时施工、同时投产使用。

现行国家标准《钢铁企业节能设计规范》GB 50632 等一系列规范相发布，对高炉炼铁节能设计起到了很好的指导作用，应严格遵照执行。

18.0.4 高炉的废热、废气、余压均应充分利用，并宜采用高效节能工艺配置。高炉冲水渣水的热量、炉顶均压煤气、热风炉泄压的风量利用等，高炉鼓风的冷风温度在200℃左右，热风炉废气温度在250℃左右，均有大量热量可以利用。高炉煤气净化除尘宜采用干法布袋除尘，提高系统余能利用率。

18.0.5 能源介质的泄漏不仅是浪费，而且还具有很大的危险性，因此应采取有效的防漏措施。

19　建筑和结构

19.1　一 般 规 定

19.1.2　现行国家标准《建筑结构可靠度设计统标准》GB 50068—2001规定，建筑结构安全等级划分为三个等级（一级：重要的建筑物；二级：大量的一般建筑物；三级：次要的建筑物）。根据高炉区域建筑、结构失效后果的严重性，推荐安全等级为二级。

19.1.7　随着高炉工程除尘设施的完善和生产管理水平的提高，高炉工程主要建构筑物的积灰情况已经大为改观，现代化的高炉工程很少再有明显的积灰情况发生，因此本规范推荐在建构筑设计时宜取消积灰荷载。

19.2　厂房、框架结构

19.2.4　出铁场主沟及渣铁沟处辐射热量大，容易产生烟尘，即使设置良好的局部除尘设施仍可能有部分烟尘逃逸，为改善出铁场面的操作环境，出铁场厂房应满足合理的通风换气要求。

19.2.5　出铁场渣铁沟特别是主沟存在有跑大流的可能，渣铁可能溢出铁沟漫到出铁场平台上，为保证出铁场平台结构的安全，出铁场平台特别是渣铁沟附近的区域应设置耐火砖或耐火混凝土面层，防止高温对结构的损伤。

19.2.7　烧结矿和焦炭都会对槽体产生较大的磨损，通常在槽体内部设置铸石衬板或耐磨浇注料进行保护。

19.2.8　振动筛的振动会影响称量漏斗的称量精度，如果采用钢结构应将其支承结构分开设置，而钢筋混凝土支承结构的刚度相对较大，产生的影响相对较小。

20 检 化 验

20.0.1 铁前的原料场、焦炉、烧结、球团和高炉工序均需要设置检化验设施，为节省场地、投资和保证数据的可靠性，推荐采用设置集中检化验室的方式，检测数据可通过网络及时传输到铁前各主要工序的中控室，保证数据的时效性和准确性。高炉中控室也可以及时获取全面准确的原燃料数据，为炉况的调整打下良好的基础。

20.0.2 设置取样设施的目的是有效掌握入炉原燃料的真实状况，比如入炉粉末等，以便掌握炉料变化对炉况的影响，有利于稳定高炉操作。

原燃料的粒度组成将影响高炉料柱的透气性，特别是入炉粉末的控制，将显著影响料柱压差和在一定程度上影响喷煤比的提高，检测的目的是为了有效掌握和控制入炉粉末水平，便于稳定高炉炉况。

20.0.3 精料是高炉炼铁的基础，对高炉生产有着决定性影响，炼铁界早就提出“高、熟、净、小、匀、稳、熔”的精料要求，炉料成分稳定、粒度均匀、冶金性能良好、炉料结构合理是高炉操作稳定顺行的基础。及时全面检测高炉原燃料的各项理化性能，让高炉操作者了解原料状况及其变化情况，以便及时采取应对措施，保证高炉的稳定顺行。

碱金属、Zn、Pb、F 等虽不能进入生铁，但对高炉的炉衬有较大的破坏作用，或在冶炼过程中循环富集，严重时造成结瘤、降低高炉寿命、导致炉况失常，因此应定期或不定期检测入炉原料中碱金属、Zn、Pb、F 等含量，及时分析和控制对高炉产生的影响。

20.0.4 渣铁性能的及时检测和反馈是高炉操作调整炉况的重要依据，风动送样有利于保证数据的及时性。

21 安全与环保

21.1 安 全 卫 生

21.1.1 安全保护和良好的操作环境是保证高炉正常生产的条件，高炉工程各关键工序均应根据相关规范设置必要的防护设施。

21.1.2 放射性对人体的伤害较大，如果工艺需要设置具有放射性的检测设备，则必须配置完善的防护措施，因为是涉及人身安全的重大事项，为此将本条列为强制条款。

21.2 环 境 保 护

21.2.1 污染物的发生量与采用的原料、燃料和生产工艺直接有关。应将环境保护作为原料、燃料选择及处理、生产工艺选择以及设备选型必须考虑的条件之一，是“减量化”措施的下一个层次。首先要从源头抓起，在采用先进工艺不能“减量化”条件下，采用降低能源消耗和清洁的原料、燃料，清洁的生产工艺和清洁的生产设备，从源头减少污染物的发生量，尽可能减少在“三废”治理设施上的不必要投入。

《中华人民共和国环境保护法》同时规定了“必须对建设项目产生的污染和对环境的影响作出评价”。环境影响评价及其环境保护行政主管部门的审批意见应在可行性研究和初步设计中体现。建设项目的环境保护措施必须与主体工程同时设计、同时施工、同时投产使用。

21.2.2 污染物必须做到达标排放，并符合现行国家标准《炼铁工业大气污染物排放标准》GB 28663 的规定，这是环境保护设计的最基本要求。新建和改造的高炉环境保护治理设施应采用先进的工艺和设备，使排放的污染物浓度和数量低于标准要求，力争实现

“零排放”。为节约资源、能源，应广泛采用循环经济原理，对废弃物采取再资源化措施进行回收利用。

21.2.3 烟尘是高炉工程的主要环境污染物，本条规定了高炉工程中几个主要的烟尘污染源的治理，除此之外的其他产尘设施如铁水预处理、碾泥机室、铸铁机和高炉工程的其他设施均必须设置除尘。出铁场的除尘包括了铁口、铁沟、渣沟、撇渣器、摆动流嘴、铁水罐等，对出铁场二次烟尘也必须采取除尘措施。

现代高炉出铁场设计均考虑设置沟盖，避免无组织的烟尘逸散，对炉前布置条件许可的情况下，应设置揭盖机。K厂高炉、R厂3号高炉、N厂6号高炉均设有揭盖机，并有多种型式。例如，K厂揭盖机传动装置安装在炉体框架柱上；R厂揭盖机安装在风口平台之下，沿风口平台下面的轨道走行；N厂揭盖机安装在风口平台之下，通过旋转臂架和升降装置可将沟盖盖到主沟前段，实现出铁过程中主沟全封闭，且不影响开铁口、堵铁口等炉前操作。该机所带沟盖能将主沟前段全部盖上，实现出铁过程中主沟全封闭、无烟尘排放操作，改善出铁场操作环境。出铁场应设有较为完善的通风除尘设施，其中铁口、撇渣器、渣铁沟、摆动流嘴等处都应设置强力抽风除尘点，能有效地防止出铁过程烟尘对环境的污染；铁口区域不仅设置侧抽还设置了顶抽，极大地提高了除尘效率。

热风炉排放的污染物浓度和数量取决于使用的燃料质量，若排放的污染物超过现行国家标准《炼铁工业大气污染物排放标准》GB 28663 的要求，应采取措施使烟气达标排放。向鼓风机提供蒸汽的锅炉，应根据锅炉房的使用功能执行相应的污染物排放标准，并根据国家和地方的环境保护政策设置燃煤烟气脱硫装置。

高炉炼铁生产企业的大气污染物排放必须按现行国家标准《炼铁工业大气污染排放标准》GB 28663 进行控制。

21.2.4 高炉煤气清洗废水除含有大量悬浮物外，还含有挥发酚和氰化物，现有的煤气清洗废水处理工艺不具有脱除挥发酚和氰化物的功能，因此即便外排废水量不大，对环境容量较小的水体的不良影响也是不容忽视的。在采用水冲渣工艺的高炉上，通过串接排污的用水方式能够达到炼铁废水不外排，这已经在国内有多年的成功经验。

21.2.5 水冲渣蒸汽和冲渣水中含有 H_2S 和 SO_2 成分，会对环境产生污染，对钢结构等产生腐蚀作用，因此应采取必要的防护措施降低和避免其危害。

21.2.6 高炉工程最大的噪声源声级可达到 125dBA，是钢铁企业中对声环境影响最大的生产单元之一。声环境污染控制必须保证钢铁企业的厂界达到厂界噪声标准，厂界噪声标准根据环境功能区类别确定，一般为Ⅱ类 60dBA（昼间）、50dBA（夜间）或Ⅲ类 65dBA（昼间）、55dBA（夜间）。本条所指噪声控制措施包括 3 个方面，在总图布置上尽可能使高噪声源远离厂界，在设备选型上尽可能选用低噪声设备，采取消声、隔声、阻尼、减振等措施。此外，还应考虑工作岗位的噪声控制要求，保护操作人员的健康。

21.2.7 环保设施的故障会降低生产工艺的环保水平，因此需要及时维护以保证其可靠性，防止对环境造成不利影响。1980 年国外曾经有邻近环境保护区的钢铁厂，因高炉除尘设备出现故障，不符合与当地签订的协议，为了遵循法规而被迫高炉停产、全厂停工的情况。我国环保法规日益严格，对环境保护设备应提高可靠性，特别是在采用干法煤气净化工艺时要充分考虑可能产生的环境风险，设计中应在技术上考虑避免或减小风险的措施，防止污染事故的发生。

21.2.8 绿化主要用以减小高炉炼铁工程建设和生产时对生态的影响，具有调节小气候、吸收有毒有害气体、滞尘、抑尘、降低噪声的功能，能够降低无组织排放粉尘的扩散，还有美化和改善工作环境、调节心理的作用。绿地面积大小应遵守地方政府的绿化相关规定。

21.3 消　　防

21.3.1～21.3.4 消防是涉及生产安全和人身安全的重要措施，必须高度重视。设计必须按照相应规范配置完善的消防设施，出现事故时要能够有效防止事故的扩大化，保证设施及生命的安全。